Você e a Astrologia

SAGITÁRIO

Bel-Adar

Você e a Astrologia

SAGITÁRIO

Para os nascidos de
22 de novembro a 21 de dezembro

1ª edição 1968.

14ª reimpressão 2017.

Dados Internacionais de Catalogação na Publicação (CIP)
(Câmara Brasileira do Livro, SP, Brasil)

Bel-Adar

Você e a astrologia : sagitário : para os nascidos de 22 de novembro a 21 de dezembro / Bel-Adar. - São Paulo : Pensamento, 2009.

12ª reimpr. da 1. ed. de 1968.
ISBN 978-85-315-0720-5

1. Astrologia 2. Horóscopos I. Título.

08-11128 CDD-133.5

Índices para catálogo sistemático:
1. Astrologia 133.5

EDITORA PENSAMENTO-CULTRIX LTDA.
Rua Dr. Mário Vicente, 368 — 04270-000 — São Paulo, SP
Fone: (11) 2066-9000 — Fax: (11) 2066-9008
E-mail: atendimento@editorapensamento.com.br
http://www.editorapensamento.com.br
Foi feito o depósito legal.

ÍNDICE

ASTROLOGIA

Mergulhando no passado, em busca das origens da Astrologia, descobre-se que ela já existia, na Mesopotâmia, trinta séculos antes da Era Cristã. No século VI a.C., atingiu a Índia e a China. A Grécia recebeu-a em seu período helênico e transmitiu-a aos romanos e aos árabes. Caldeus e egípcios a praticaram; estes últimos, excelentes astrônomos e astrólogos, descobriram que a duração do ano era de 365 dias e um quarto e o dividiram em doze meses, de trinta dias cada, com mais cinco dias excedentes.

Foram os geniais gregos que aperfeiçoaram a Ciência Astrológica e, dois séculos antes da nossa era, levantavam horóscopos genetlíacos exatamente como os levantamos hoje. Criaram o zodíaco intelectual, com doze signos de trinta dias, ou trinta graus cada, e aos cinco dias restantes deram o nome de epagômenos. Delimitaram a faixa zodiacal celeste, sendo que os primeiros passos para isso foram dados pelo grande filósofo Anaximandro e por Cleostratus. Outro filósofo, de nome Eudoxos, ocupou-se de um processo chamado *catasterismo*, identificando as estrelas com os deuses. Plutão associou o Sol a um deus composto, Apolo-Hélios, e criou um sistema de teologia astral. Hiparcus, um dos maiores gregos de todos os tempos, foi apologista fervoroso do poder dos astros, e epicuristas e estóicos, que compunham as duas mais poderosas frentes filosóficas que o homem jamais conheceu, dividiam suas opiniões; enquanto os epicuristas rejeitavam a Astrologia, os estóicos a defendiam ardentemente e cultivavam a teoria da *simpatia universal*, ligando o pequeno mundo do homem, o microcosmo, ao grande mundo da natureza, o macrocosmo.

Os antigos romanos relutaram em aceitar a ciência dos astros, pois tinham seus próprios deuses e processos divinatórios. Cícero repeliu-a mas Nigidius Figulus, o homem mais culto de sua época, defendeu-a com ardor. Com o Império ela triunfou e César Augusto foi um dos seus principais adeptos. Com o domínio do cristianismo perdeu sua característica de conhecimento sagrado, para manter-se apenas como arte divinal, pois os cristãos opunham a vontade do Criador ao determinismo das estrelas. Esqueceram-se, talvez, que foi o Criador quem fez essas mesmas estrelas e, segundo o Gênese, cap. 1, vers. 14, ao criá-las, disse:

"...e que sejam elas para sinais e para tempos determinados..."

Nos tempos de Carlos Magno, a Astrologia se espalhou por toda a Europa. Mais tarde, os invasores árabes reforçaram a cultura européia e a Ciência Astronômica e Astrológica ao divulgarem duas obras de Ptolomeu, o Almagesto e o Tetrabiblos. Na Idade Média ela se manteve poderosa e nem mesmo o advento da Reforma conseguiu prejudicá-la, sendo que dois brilhantes astrônomos dessa época, Ticho Brahe e Kepler, eram, também, eminentes astrólogos.

Hoje a Ciência Astrológica é mundialmente conhecida e, embora negada por uns, tem o respeito da maioria. Inúmeros tratados, onde competentes intelectuais estabelecem bases racionais e milhares de livros, revistas e almanaques populares são publicados anualmente e exemplares são permutados entre todos os países. Gradualmente ela vem sendo despida de suas características de adivinhação e superstição, para ser considerada em seu justo e elevado valor, pois é um ramo de conhecimento tão respeitável quanto a Psicologia, a Psicanálise, a Psiquiatria ou a Parapsicologia, que estudam e classificam os fenômenos sem testes de laboratório e sem instrumentos de física, empregando, apenas, a análise e a observação.

Os cientistas de nossa avançada era astrofísica e espacial já descobriram que, quando há protuberâncias no equador solar ou explodem bolhas gigantescas em nosso astro central, aqui, na Terra, em conseqüência dessas bolhas e explosões, seres humanos sofrem ataques apopléticos ou são vitimados por embolias; isto acontece porque a Terra é bombardeada por uma violenta tempestade de elétrons e ondas curtas, da natureza dos Raios Roentgen, que emanam das crateras deixadas por essas convulsões solares e que causam, nos homens, perturbações que podem ser medidas por aparelhos de física e que provocam os espasmos arteriais, aumentando a mortalidade. Usando-se um microscópio eletrônico, pode-se ver a trajetória vertiginosa dos elétrons, atravessando o tecido nervoso de um ser humano; pode-se, também, interromper essa trajetória usando campos magnéticos. Raios cósmicos, provindos de desconhecidos pontos do Universo, viajando à velocidade de 300 000 quilômetros por segundo e tendo um comprimento de onda de um trilionésimo de milímetro, caem como chuva ininterrupta sobre a Terra, varando nossa atmosfera e atravessando paredes de concreto e de aço com a mesma facilidade com que penetram em nossa caixa craniana e atingem nosso cérebro. Observações provaram que a Lua influencia as marés, o fluxo menstrual das mulheres, o nascimento das crianças e animais, a germinação das plantas e provoca reações em determinados tipos de doentes mentais.

É difícil, portanto, admitir esses fatos e, ao mesmo tempo, negar que os astros possam emitir vibrações e criar campos magnéticos que agem sobre as criaturas humanas; é, também, difícil negar que a Astrologia tem meios para proporcionar o conhecimento do temperamento, caráter e conseqüente comportamento do homem, justamente baseando-se nos fenômenos cósmicos e nos efeitos magnéticos dos planetas e estrelas. Um cético poderá observar que está pronto a considerar que é possível classificar, com acerto, as criaturas dentro de doze signos astrológicos mas que acha absurdo prever o destino por meio dos astros. Objetamos, então, que o destino de uma pessoa resulta de uma série de fatores, sendo que os mais importantes, depois do seu caráter e temperamento, são o seu comportamento e as suas atitudes mentais. Pode-se, por conseguinte, com conhecimentos profundos da Astrologia, prever muitos acontecimentos, com a mesma base científica que tem o psiquiatra, que pode adivinhar o que acontecerá a um doente que tem mania de suicídio, se o deixarem a sós, em um momento de depressão, com uma arma carregada.

Muitos charlatães têm a vaga noção de que Sagitário é um cavalinho com tronco de homem e Capricórnio é um signo que tem o desenho engraçado de uma cabra com rabinho de peixe. Utilizando esse "profundo" conhecimento, fazem predições em revistas e jornais, com razoável êxito financeiro. Outros "astrólogos", mais alfabetizados, decoram as induções básicas dos planetas e dos signos e depois, entusiasmados, fazem horóscopos e previsões de acontecimentos que não se realizam: desse modo, colocam a Astrologia em descrédito, da mesma forma que seria ridícula a Astronáutica se muitos ignorantes se metessem a construir espaçonaves em seus quintais. Devem todos, pois, fugir desses mistificadores como fugiriam de alguém que dissesse ser médico sem antes ter feito os estudos necessários. Os horóscopos só devem ser levantados por quem tem conhecimento e capacidade e só devem ser acatadas publicações endossadas por nomes respeitáveis ou por organizações de reconhecido valor, que se imponham por uma tradição de seriedade e rigor.

A Astrologia não é um negócio, é uma Ciência; Ciência capaz de indicar as nossas reais possibilidades e acusar as falhas que nos impedem de realizar nossos desejos e os objetivos da nossa personalidade; capaz de nos ajudar na educação e orientação das crianças de modo a que sejam aproveitadas, ao máximo, as positivas induções do signo presente no momento natal; que pode apontar quais os pontos fracos do nosso corpo, auxiliando-nos a preservar a saúde; essa ciência nos mostrará as afinidades e hostilidades existentes entre os doze tipos zodiacais de modo que possamos ter felicidade no lar, prosperidade nos negócios, alegria com os amigos e relações harmônicas com todos os nossos semelhantes. As estrelas, enfim, nos desvendarão seus mistérios e nos ensinarão a solucionar os transcendentes problemas do homem e do seu destino, dando-nos a chave de ouro que abrirá as portas para uma vida feliz e harmônica, onde conheceremos mais vitórias do que derrotas.

Bel-Adar

O ZODÍACO

O zodíaco é uma zona circular cuja eclíptica ocupa o centro. É o caminho que o Sol parece percorrer em um ano e nela estão colocadas as constelações chamadas zodiacais que correspondem, astrologicamente, aos doze signos. O ano solar (astronômico) e intelectual (astrológico) tem início em 21 de março, quando o Sol atinge, aparentemente, o zero grau de Áries, no equinócio vernal, que corresponde, em nossa latitude, à entrada do outono. Atualmente, em virtude da precessão dos equinócios, os signos não correspondem à posição das constelações, somente havendo perfeita concordância entre uns e outros a cada 25 800 anos, o que não altera, em nada, a influência cósmica dos grupos estelares em relação ao zodíaco astrológico.

Em Astrologia, o círculo zodiacal tem 360 graus e está dividido em doze Casas iguais, de 30 graus cada. Não há, historicamente, certeza de sua origem. Nos monumentos antigos da Índia e do Egito foram encontrados vários zodíacos, sendo os mais célebres o de

Denderah e os dos templos de Esné e Palmira. Provavelmente a Babilônia foi seu berço e tudo indica que as figuras que o compunham, primitivamente, foram elaboradas com os desenhos das estrelas que compõem as constelações, associados a certos traços que formam o substrato dos alfabetos assírio-babilônicos.

Cosmicamente, o zodíaco representa o homem arquetípico, contendo: o binário masculino-feminino, constituído pela polaridade *positivo-negativa* dos signos; o ternário rítmico da dinâmica universal, ou seja, os ritmos *cardinal, fixo e mutável;* o quaternário, que representa os dois aspectos da matéria, cinético e estático, que se traduzem por *calor e frio — umidade e secura.* Este quaternário é encontrado nas forças fundamentais — *radiante, expansiva, fluente* e *coesiva* — e em seus quatro estados de materialização elementar: *fogo, ar, água* e *terra.*

Na Cabala vemos que Kjokmah, o segundo dos três principais Sephirot, cujo nome divino é Jehovah, tem como símbolo a *linha*, e seu Chakra mundano, ou representação material, é Mazloth, o Zodíaco. Também a Cabala nos ensina que Kether, o primeiro e supremo Sephirahm cujo Chakra mundano é "Primeiro Movimento", tem, entre outros, o seguinte título, segundo o texto yetzirático: *Ponto Primordial.* Segundo a definição euclidiana, o ponto tem posição, mas não possui dimensão; estendendo-se, porém, ele produz a linha. Kether, portanto, é o Ponto Primordial, o princípio de todas as coisas, a fonte de energia não manifestada, que se estende e se materializa em Mazloth, o Zodíaco, cabalisticamente chamado de "O Grande Estimulador do Universo" e misticamente considerado como Adam Kadmon, o primeiro homem.

Pode-se, então, reconhecer a profunda e transcendente importância da Astrologia quando vemos no Zodíaco o Adam Kadmon, o homem arquetípico, que se alimenta espiritualmente através do cordão umbilical que o une ao logos e que está harmonicamente adaptado ao equilíbrio universal pelas leis de Polaridade e Ritmo expressas nos doze signos.

SAGITÁRIO, O CENTAURO

Sagitário é a nona constelação zodiacal; corresponde ao nono signo astrológico e domina sobre os dias que vão de 22 de novembro a 21 de dezembro. Sua figura simbólica é a de um centauro, estranho ser, meio homem, meio animal, que aponta seu arco e flecha para o céu. É um signo de inteligência superior e está identificado com o homem que, apesar de preso a terra por seu corpo físico, apesar de amarrado às necessidades materiais, busca os espaços infinitos com sua mente. Sua palavra-chave é INTELECTUALIDADE e ele pertence ao último quaternário do zodíaco, abrindo a derradeira etapa de evolução de Adam-Kadmon, o homem arquetípico representado pelo zodíaco místico.

Segundo a Cabala, o regente divino de Sagitário é Anaquiel e na Magia Teúrgica a ordem dos seres celestiais que lhe corresponde é a dos Anjos. Nos mistérios da Ordem Rosa-Cruz observamos que as iniciais I.N.R.I., colocadas no madeiro onde Jesus foi crucificado, representam as iniciais dos quatro elementos em língua hebraica: *Iam*, água — *Nour*, fogo — *Ruach*, espírito ou ar vital — *Iabeshab*, terra. O fogo, portanto, elemento a que pertence Sagitário, está indicado pelo N, segunda letra da Cruz.

Como signo de fogo, nos quatro planos da Vida, ele corresponde ao plano Espiritual. Na Magia vemos que os seres invisíveis que o dominam são as Salamandras, criaturas feitas de flama invisível. Em três frases da bela oração de invocação das Salamandras, ou espíritos das chamas, encontramos a idéia do fogo como fonte de criação:

> "...eterno, inefável e incriado pai de todas as coisas, que é conduzido sobre o carro que roda sem cessar nos mundos que giram sempre...
>
> ...tua áurea, grande e eterna majestade resplandece acima do mundo, do céu e das estrelas; tu és elevado sobre elas, ó fogo resplandecente ...
>
> ...ó forma de todas as formas! alma, espírito, harmonia e número de todas as coisas..."

NATUREZA CÓSMICA DE SAGITÁRIO

O elemento fogo

O elemento fogo possui uma energia radiante que tudo dinamiza, vitaliza e fortalece. Em cada um dos signos que formam sua triplicidade ele apresenta um aspecto próprio, e Sagitário é sua terceira manifestação; em Áries a flama é jovem, impetuosa, irrefletida, às vezes generosa, às vezes cruel; em Leão ela é mais forte, parecendo alcançar o seu máximo em calor, generosidade, vitalidade e energia, mas tornando-se, também, intensamente destrutiva em seus aspectos negativos; é em Sagitário que ela amadurece, perde quase toda a sua violência primitiva, apresenta-se mais moderada e, conseqüentemente, é de ação mais útil e construtiva.

Em virtude da influência de Júpiter, que é um planeta elétrico, de vibrações poderosíssimas, o signo do Centauro adquire um poder ainda maior, pois toda a sua energia, por efeito da irradiação joviana, passa a ser conduzida e orientada num sentido de forma, construção e ordem. É como se nele a essência vital do fogo, primitiva e quase puramente material, se transformasse em energia mental, mais conservadora do que renovadora ou criadora.

Por todas as razões acima expostas, o sagitariano guarda muito pouco do maravilhoso entusiasmo do ariano e quase não sofre os generosos e nem sempre sensatos arrebatamentos do leonino. Sua natureza, muito menos dinâmica e ardente, é, em compensação, muito mais objetiva e racional. Apesar, de tudo, porém, o nativo de Sagitário às vezes é irrefletido e audacioso como o nativo de Áries ou ardente e intenso como o leonino. As induções de Júpiter sempre o tornam mais prudente e concentrado, mas, a despeito delas, ele é sempre um nativo do fogo, amante dos grandes projetos e das grandes lutas, possuindo um temperamento independente e rebelde e uma natureza dominadora e orgulhosa.

Toda chama necessita de combustível para existir. O fogo sagrado é imperecível mas seu reflexo material, isto é, aquele que se manifesta e arde no íntimo da criatura humana é, como ela, frágil e perecível. Para poder desenvolver ao máximo suas esplendidas qualidades e para pôr em ação sua privilegiada mente, o sagitariano necessita de um estimulo que faça sua chama interior arder continuamente, dando-lhe a oportunidade de obter todas as coisas prometidas pelas estrelas do Centauro.

Polaridade

Tudo no universo tem dois pólos, a exemplo da Terra, com seu norte e sul. O signo de Sagitário possui polaridade positiva ou masculina. Em Astrologia, masculino ou feminino, negativo ou positivo, passivo ou ativo são termos que, quando empregados em relação aos signos e planetas, não indicam sexo, debilidade ou exaltação, mas identificam os pólos em complementação mútua. Já, quando empregados em relação aos indivíduos, indicam sua qualidade moral ou sua capacidade volitiva ou acional.

Os signos positivos têm energia própria; impulsionam, emitem e comandam, e seus nativos independem do auxílio alheio para realizar seus propósitos. Os sagitarianos, induzidos por essa polaridade do Centauro, são independentes, orgulhosos, realizadores, às vezes bastante rebeldes e sua personalidade sempre é dinâmica e magnética. Não só pela condição positiva de seu signo como, também, em virtude da irradiação poderosa de Júpiter, os sagitarianos nunca são pessoas neutras ou apagadas; sempre atraem a atenção de todas as criaturas e despertam simpatias ou antipatias muito fortes. Ainda em conseqüência das fortíssimas irradiações do

Centauro, que está cosmicamente ligado à medicina natural e que tem suas qualidades fortalecidas por sua polaridade positiva e por sua natureza ígnea, o sagitariano, freqüentemente, tem o dom de curar ou transmitir vitalidade e energia a doentes, mediante o simples toque de suas mãos ou apenas com sua presença.

O nativo de Sagitário se deixa comandar pelo amor mas nunca pela força. Sua mente é livre e ele acha degradante submeter-se a vontade de outras criaturas. Note-se, porém, que, por estranho que pareça, não há soldados mais disciplinados, religiosos mais cumpridores das regras de sua Ordem ou juízes mais observadores dos códigos e das leis do que aqueles que nascem sob a proteção de Sagitário; isto acontece porque o sagitariano, apesar de independente e voluntarioso, apesar de não obedecer às pessoas, submete-se obedientemente às leis, códigos, estatutos ou convenções, pois o Centauro é, justamente, o signo da Ordem e da Hierarquia e sua função não é, apenas, a de dinamizar, mover e impulsionar mas, também, de conservar toda a estrutura social, política e religiosa que o homem criou desde que deixou de ser um animal solitário e resolveu viver em grupos.

Ritmo

Todas as coisas têm uma situação no tempo, passado, presente e futuro, e uma posição no espaço, direita, centro e esquerda. O ritmo também possui três manifestações: é evolutivo no tempo, formativo no espaço e cinético no movimento. Suas duas forças básicas, atividade e inércia, ou seja, impulso e estabilidade, criam uma terceira que é o ritmo mutável e que representa o equilíbrio entre ambas.

Sagitário possui ritmo mutável, o que é sua grande força e, ao mesmo tempo, sua grande debilidade. Por sua mutabilidade, ele às vezes demonstra o impulso ardente de Áries e outras vezes apresenta a persistência de Leão; sendo extremamente flexível, adapta-se a todas as circunstâncias e, através de sua magnífica energia mental, sabe transformá-las e utilizá-las do melhor modo.

Em virtude destas condições cósmicas, o Centauro pode proporcionar aos seus nativos as maiores qualidades morais e intelectuais. Pode torná-los artistas, intelectuais, cientistas, juristas eminentes ou religiosos de todas as seitas, desde o mais humilde monge até o mais alto dignitário de qualquer igreja. As vibrações deste signo, cuja palavra-chave é INTELECTUALIDADE, dinamizam a inteligência, tornando-a aguda, poderosa, profunda e versátil, apta para resolver todos os problemas e pronta para entender e assimilar todos os conhecimentos.

O ritmo mutável também traz seu dote negativo. Por sua influência, muitos sagitarianos quase nunca têm a constância necessária para levar a bom termo os seus empreendimentos. Começam suas tarefas com grande entusiasmo mas logo as abandonam e pulam de uma atividade a outra, sem saber qual delas escolher. São teimosos, firmes e constantes em suas opiniões pessoais, mas são variáveis, incertos e volúveis em suas ações. Freqüentemente, o ritmo mutável também altera o humor e a capacidade de ação dos nativos de Sagitário, que em certas ocasiões demonstram grande atividade e dinamismo e depois mergulham em períodos de inércia e passividade; às vezes se mostram gentis, alegres, sociáveis e entusiastas e de súbito se tornam desanimados, desesperançados, niilistas e destrutivos, o que na verdade está em flagrante desacordo com a vibração construtiva e poderosa de Sagitário. Os sagitarianos que conseguem vencer as debilidades impostas pela mutabilidade de seu signo, e aprendem a concentrar sua vontade e a utilizar sua maravilhosa energia mental, não encontrarão obstáculos para seus mais ambiciosos planos, como não os encontraram os sagitarianos Charles de Gaulle, Joseph Stalin e Francisco Franco.

Vitalidade

Sagitário é um signo de vitalidade e dá, aos seus nativos, uma excelente saúde e um grande poder de recuperação, além da qualidade já mencionada de transmitir energia vital aos mais fracos.

Os sagitarianos dificilmente ficam acamados por longo tempo e quando ficam doentes sua convalescença é muito rápida. São sujeitos às febres violentas, mas elas vão tão depressa quanto vêm e não costumam deixar vestígios maléficos. Raramente sofrem infecções ou inflamações porque têm um natural poder de regeneração e cicatrização, que lhes é dado pelo elemento fogo. Existem tipos astrológicos que sugam a vitalidade de outras criaturas, a exemplo de certas plantas que utilizam a seiva de outras para seu alimento. O signo do Centauro, com sua benéfica vibração, faz com que os sagitarianos sempre possam dar e nunca necessitem tirar a saúde e a energia dos seus semelhantes.

Fecundidade

O signo de Sagitário é muito fecundo, prometendo aos seus nativos tanto uma descendência numerosa como, também, um largo círculo de amigos, conhecidos e dependentes; estes últimos não dependerão do sagitariano num sentido estritamente econômico, mas, sim, moral e espiritual, sendo ele o confessor, o conselheiro e o orientador em todos os momentos importantes.

A fecundidade do Centauro também se estende ao plano mental e intelectual; todo sagitariano superior, mesmo que não deixe um filho para usar seu nome, sempre deixará alguma obra de valor que tornará o seu nome lembrado para sempre.

Duplicidade

A natureza de Sagitário é dupla; sob sua influência tanto podem nascer duas classes de criaturas, bem distintas, como no mesmo sagitariano podem existir suas duas manifestações, a mental e a material. O nativo de Sagitário, quando influenciado pela metade animal do seu signo, é sensual e materialista. É inimigo do esforço físico e também não se inclina muito para as atividades intelectuais. É inteligente e astuto, mas quase nunca usa sua energia mental para obras elevadas; utiliza-a, apenas, para encher de prazeres a sua existência. Representa o tipo do oportunista que, tirando proveito de tudo e de todos, procura viver com toda a comodidade e prazer.

O tipo mental de Sagitário representa o oposto do que foi descrito e é dentro dele que estão incluídos os sagitarianos de elevado padrão, como Ludwig van Beethoven, Mark Twain, John Milton ou Spinoza; eles representam a metade humana, superior, do Centauro e são os que procuram atingir as estrelas com sua capacidade criadora e sua vontade ardente.

Podemos, ainda, encontrar os dois tipos reunidos no mesmo sagitariano, o que determina uma curiosa mescla de superioridade e mesquinharia, de materialismo e espiritualidade; este nativo é capaz de gestos contraditórios, sofre emoções contraditórias e é sempre sujeito a grande instabilidade afetiva e emocional.

Figura simbólica

Sagitário tem como figura simbólica um Centauro e está mitologicamente associado ao centauro Quíron, também chamado "O Sábio", o que vem demonstrar mais ainda o valor mental deste signo. O simbolismo de Sagitário indica que o indivíduo, apesar de preso à sua condição animal, representada pela primeira metade do Centauro, almeja elevar-se aos planos superiores e busca sua libertação pela inteligência e pelo espírito.

O zootipo comum de Sagitário é o cão; sua representação superior é a de um venerável ancião. Este signo pode proporcionar beleza a seus nativos e mesmo aqueles que não têm um físico muito favorecido sempre possuem uma figura que chama a atenção.

Urano em Sagitário

Por estranho que pareça, o rebelde e revolucionário Urano, o reformador do zodíaco, o nivelador de castas, o perturbador da ordem e da harmonia, cujos raios superiores despertam o fermento da inquietude e do inconformismo na mente humana, sente forte afinidade pelo organizado, hierárquico e exigente Sagitário.

É a sua presença que impede que os sagitarianos se cristalizem dentro dos padrões e medidas propostos pelo Centauro e se lancem às conquistas e lutas que não podem ser contidas por códigos ou leis.

Sol em Sagitário

O Sol, planeta da luz e da majestade, também tem grande afinidade com o signo de Sagitário, vindo somar suas vibrações vivificantes, generosas e benéficas à irradiação natural do Centauro e de Júpiter.

A chama solar, ardendo neste signo, vem trazer maiores qualidades aos sagitarianos e vem, também, oferecer-lhes maiores possibilidades de vitória, pois o Sol costuma iluminar prodigamente o caminho dos seus protegidos.

Mercúrio em Sagitário

Mercúrio é o planeta que representa a inteligência, a centelha divina que pode existir em todo homem, independentemente de sua cultura, sua fortuna, sua cor ou sua posição social e que pode transformá-lo num gênio, mesmo quando seus conhecimentos são diminutos.

Sagitário, representando o intelecto, já é a inteligência cultivada, orientada num sentido que pode ser superior ou inferior, espiritual ou material, mas procura sempre colocar todas as coisas e criaturas dentro de uma estrutura, fazendo-as agir de conformidade com uma lei. Mercúrio, espontâneo, útil, despreocupado, vibrante e inquieto, encontra seu exílio em Sagitário; não se sujeita às ordens ou aos códigos e sua natureza, plástica e versátil, adapta-se a todas as formas, mas não se deixa aprisionar ou limitar.

Síntese cósmica

Sagitário e um signo de interessante feição, apresentando, simultaneamente, qualidades aparentemente contraditórias; assim, ele é liberal e generoso, mas, ao mesmo tempo, ortodoxo e severo; sabe valorizar cada criatura mas procura criar castas ou classes onde os valores coexistam sem que um procure sobrepujar o outro; é sociável mas não é promíscuo, é sensível mas não é sentimental e pode reunir a mais fria objetividade ao mais ardente idealismo.

Suas elevadas vibrações são responsáveis por toda a organização social, política e religiosa. Generoso e fraterno, é o legislador do zodíaco mas, ao mesmo tempo, também é o defensor dos direitos humanos. O elemento fogo, neste signo, encontra sua forma mais elevada, pois nele se manifesta como a chama que aquece os lares, que orienta os navegantes, que move as indústrias e que arde nas piras sagradas dos colégios e dos campos olímpicos.

O SAGITARIANO

Como identificar um sagitariano

Cabelo comprido

Quadris largos

Fala floreada

Símbolo: o arqueiro

Planeta regente: Júpiter

Casa natural: nona, referente à religião, à educação e às viagens

Elemento: fogo

Qualidade: mutável

Regiões do corpo: quadris, coxas, nervo ciático

Pedra preciosa: turquesa

Cores: azul real, púrpura

Flor: narciso

Frase-chave: eu vejo

Palavra-chave: intelectualidade

Traços da personalidade: amigável, aventureiro, tem capacidade de liderança, felizardo, amante da liberdade, honesto, irresponsável, entusiástico, despreocupado, demasiado otimista

Países: Austrália, Chile, Hungria, Espanha

Coisas comuns regidas por Sagitário: viagem, cavalo, incenso, canela, santuários, colégio, universidade, abundância, escola de comércio, lei, oração, professor, ética, propaganda, juiz.

Quíron, o Sábio

O que mais se destaca, ao se iniciar o estudo do signo de Sagitário, é sua curiosa mescla de espiritualidade e materialismo e, sobretudo, sua poderosa vibração mental e intelectual; ele está, indubitavelmente, muito bem representado por sua figura simbólica, misto de homem e animal e, também, muito identificado com sua figura mitológica, que é a do centauro Quíron, também chamado o Sábio.

Todo sagitariano é dono de uma extraordinária máquina cerebral, que só precisa de trato e cultivo para se transformar num perfeito instrumento a serviço do pensamento e da sensibilidade. Aqueles que não cuidam de sua máquina ou não se habituam a usá-la, ficam donos apenas de uma grande dose de esperteza, da qual se servem para viver com a maior dose possível de conforto e prazer. Aqueles, porém, que cultivam a inteligência recebida através das estrelas do Centauro, têm à sua frente um campo ilimitado, onde podem ver concretizadas todas as suas ambições e realizados todos os seus sonhos, estejam eles situados no plano artístico, intelectual ou científico ou estejam ligados às lutas materiais relativas ao dinheiro, ao prestígio pessoal e à posição social.

Os nativos deste signo, quando pertencem ao tipo mental, são apaixonados amantes da cultura. Sua sede de conhecimentos jamais se aplaca e são leitores ávidos de todas as obras que caem em suas mãos. Adoram argumentar e discutir e é difícil fazê-los calar quando o tema é de seu agrado. Possuem rara habilidade para descrever, com palavras, as mais variadas sensações e emoções. Com bons aspectos planetários, podem tornar-se escritores ou poetas geniais, como Milton, o poeta do "Paraíso Perdido", ou como Mark Twain, com seus pobres e desgraçados que sempre acabavam alcançando o pote de ouro no fim do arco-íris.

Sagitário dá grande capacidade para entender, assimilar e depois transmitir e explicar; em virtude disto, muitos sagitarianos são professores excepcionais, tendo, como ninguém, o dom de fazer com que os seus discípulos, até mesmo os de mentalidade mais pobre, absorvam adequadamente os conhecimentos necessários. Por influência de Gêmeos, signo oposto ao do Centauro, os sagitarianos costumam ter extrema facilidade para o estudo de línguas. Podem, também, revelar extraordinários dotes oratórios, sendo possuidores de uma linguagem vigorosa, expressiva e atraente. Podem refletir, também, um aspecto negativo de Gêmeos, demonstrando um espírito crítico muito ácido e nem sempre justo, e ferindo os outros com suas palavras impiedosas, o que representa o uso negativo do dom da palavra, proporcionado por Gêmeos.

Sagitário proporciona qualidades de comando e organização e seus nativos são naturalmente talhados para todas as posições de comando e responsabilidade, principalmente aquelas onde muitas pessoas dependem de seu julgamento e de sua direção. Possuindo mente detalhista e, ao mesmo tempo, panorâmica, capacidade de análise, associação e síntese, sentido histórico e memória cronológica, o sagitariano é sempre o apaixonado, o crítico e o dissecador do homem e de seus problemas políticos, sociais, econômicos e geográficos.

Alegria de viver

Sagitário, apesar de ser simbolizado por um Centauro, é um dos mais humanos signos zodiacais e suas vibrações, a par de sua principal qualidade mental, também carregam alegria, prazer e bem-estar. Júpiter, seu regente, como já dissemos, é um dos mais benéficos, senão o mais benéfico entre todos os planetas; suas principais induções, além da ordem, da organização e do sentido social e religioso são, como as de Sagitário, vibrações de paz, jovialidade e bem-estar espiritual e material, dando, também, aos seus nativos, um intenso amor à vida, como campo de luta e de conquista e como panorama colorido por mil emoções e sensações.

Sagitário sempre dá muita inclinação para as coisas materiais, representadas pela boa mesa, por móveis confortáveis, roupas de contato agradável para o corpo, boas bebidas, perfumes, luxo, jogos, danças, prazeres e, sobretudo, a companhia do sexo oposto, tudo isto com muito refinamento e bom gosto. Assim, embora nem todos os sagitarianos possam ser classificados como hedonistas, até mesmo muitos tipos superiores procuram unir suas atividades mentais ao conforto material e jamais negam ao seu corpo e aos seus sentidos as coisas que lhes dão prazer.

Como já dissemos, duas classes de criaturas podem nascer dentro dos limites do Centauro: uma composta por aqueles que só se preocupam com seu próprio bem-estar e progresso e outra formada pelos que gostam de dividir sua felicidade ou seu prazer com os outros. Qualquer sagitariano pode não resistir à tentação de um almoço suculento; seus tipos superiores, todavia, sempre procurarão compartilhá-lo com alguém, ao passo que os inferiores tratarão de comê-lo sem indagar se alguém mais está com fome.

Juntamente com o gosto por tudo quanto é agradável e confortável, o sagitariano também recebe, de seu signo, um grande amor à Natureza, às plantas e aos animais, especialmente cães e cavalos. Sentem forte inclinação para a vida ao ar livre e gostam de praticar esportes e jogos, pelo puro prazer de exercitar-se e competir. Suas crises depressivas ou suas fases de mau humor desaparecem rapidamente quando fogem para o campo ou para a praia, ou tomam bastante sol e respiram ar bem puro.

Todos aqueles que nascem sob a irradiação do Centauro nunca envelhecem intimamente. Os anos passam apenas sobre seu corpo físico, mas não deixam muitas marcas em seu espírito, a não ser um natural amadurecimento e uma dose maior de prudência e bom senso. Fisicamente, sua vitalidade também se prolonga por muito tempo e, aos sessenta anos de idade, ele pode possuir, ainda, a energia, o dinamismo e o vigor sexual de uma pessoa de trinta anos.

Pelo amor que tem à vida, o sagitariano sabe entendê-la em todos os seus aspectos e manifestações e por isso é sempre querido por crianças, adultos e velhos. Segundo o seu conceito, a coletividade é sempre mais importante que o indivíduo, mas isso não o impede de dar a cada criatura o seu valor próprio e de procurar entender seus problemas, perdoar seus vícios e reconhecer suas virtudes.

A mulher de Sagitário

Sagitário é um signo positivo ou masculino e tanto sua figura simbólica como o seu regente, Júpiter, também são masculinos. Toda vibração deste setor zodiacal é ativa e dinâmica e nada tem de feminina ou passiva. Assim, as mulheres nascidas neste signo são corajosas, enérgicas, decididas e voluntariosas, sabem lutar por aquilo que desejam e podem competir com os homens em todas as atividades.

Estas afirmativas não querem sugerir que a sagitariana seja masculinizada, bruta, agressiva ou prepotente, mas apenas indicam que ela é masculina em seus processos mentais e em seus atos e resoluções embora não o seja nas atitudes e maneiras. Qualquer nativa de Sagitário poderá mostrar-se extraordinariamente feminina, elegante, atraente, provocante, mas nunca lançará mão de truques tais como suspiros, desmaios, demonstrações de medo ou fraqueza, lágrimas ou crises nervosas; enfim, nunca usará esses recursos que são sempre utilizados pelas mulheres essencialmente... mulheres.

Como seus irmãos de signo, a sagitariana é franca e direta em suas palavras e ações, não apreciando intrigas, mentiras ou dissimulações. Geralmente sente uma pronunciada indiferença pela companhia de seu próprio sexo, preferindo a convivência masculina, principalmente quando pertence ao tipo que se inclina para os esportes e para a vida ao ar livre. Dotada de uma esquisita elegância, ela sempre dá preferência às roupas de talhes e cores alegres, porém sóbrias, e tem maneiras de falar, mover-se, comer ou andar que a fazem notada em todos os ambientes. Como Sagitário é um signo que pode proporcionar beleza, algumas de suas nativas podem possuir um físico excepcionalmente bem dotado.

Tudo quanto pode ser dito sobre os homens nascidos neste signo também se aplica às mulheres que são, como eles, valorosas, generosas, alegres e amáveis, ou então, quando inferiores, vaidosas, arrogantes, sensuais e egoístas. A sagitariana poderá, também, ter a mesma capacidade intelectual dos seus irmãos de signo, pois sua inteligência é tão poderosa e sua coragem é tão grande quanto a deles, como o demonstraram Edith Cavell, enfermeira inglesa, heroína da Primeira Guerra Mundial, Francis Eliza Burnett, que, com um pequeno livro, Little Lord Fauntleroy, conquistou o mundo, Marie Tussaud, que criou e realizou o famoso Museu de Cera, Annie Jump Cannon, astrônoma americana, especialista em espectros estelares ou a famosa Goerge Elliot, pseudônimo masculino usado por Mary Anne Evans, a grande novelista inglesa.

Orgulho e vaidade

A amabilidade e a jovialidade são dotes próprios de Sagitário, que sempre torna seus nativos gentis, alegres, sociáveis e bem-humorados. Por essas qualidades, os sagitarianos são recebidos com prazer em todos os lugares e fazem amigos com muita facilidade. Com rara facilidade, também, fazem inimigos e despertam rancores porque não sabem falar com suavidade quando se irritam e não costumam esconder seus sentimentos quando sentem antipatia por alguém.

São extremamente suscetíveis e qualquer crítica ou censura pode feri-los profundamente. Estão geralmente dispostos a ouvir um bom conselho, mas nem sempre gostam de ver suas falhas e debilidades expostas à luz da verdade. Mesmo os tipos mais elevados possuem a sua pequena dose de vaidade e se sentem felizes quando suas obras, atitudes ou palavras são entendidas e elogiadas. Apesar de sua independência necessitam sempre do apoio e da aprovação dos outros, principalmente das criaturas que amam ou consideram.

O orgulho também é marca do Centauro. Todo sagitariano é auto-suficiente e não gosta de depender dos outros ou de receber ordens. Por sua condição de nativo do fogo, é mais talhado para comandar do que para ser dirigido e sua natureza rebelde e autoritária não admite repressões ou limitações, a não ser as que lhe são impostas pelo afeto ou pelo dever. Procura sempre resolver seus problemas, sem recorrer a terceiros; para os outros é capaz de estender a mão e pedir, mas em benefício próprio dificilmente pede algo, pois detesta confessar sua inferioridade ou incapacidade. Esse orgulho muitas vezes o prejudica, pois o impede de procurar a ajuda ou a proteção de pessoas que poderiam auxiliá-lo a superar muitas dificuldades e a realizar seus objetivos com muito mais rapidez.

Nos tipos negativos a vaidade e o orgulho se acentuam e se transformam em debilidades muito desagradáveis; estes sagitarianos dificilmente são estimados ou admirados porque não possuem a atraente simplicidade dos seus irmãos de signo mas são prepotentes, arrogantes, pretensiosos, convencidos, egoístas e vaidosos.

Generosidade

Júpiter, o senhor de Sagitário, por suas irradiações excepcionalmente favoráveis, é chamado de *grande benéfico*. O sagitariano retrata bem a natureza magnânima e generosa de seu senhor cósmico, que lhe dá orgulho, sede de poder e ambição, mas também lhe proporciona uma natureza bondosa, fraterna e compreensiva.

Os sagitarianos são bons amigos e bons companheiros. Não sabem guardar rancores ou ressentimentos e estão sempre prontos para ouvir a defesa de qualquer culpado. Nunca cultivam o ódio e nunca procuram vingar uma ofensa recebida. Não gostam de obedecer e também não são muito pacientes quando alguém ou algo se põe em seu caminho, mas sabem atender conselhos e avisos quando estes são razoáveis. São corretos, honestos, francos e leais e não aprovam manobras escusas ou gestos traiçoeiros. Sabem vencer, pois não costumam abusar do adversário derrotado, e sabem perder porque reconhecem quando a razão ou o direito pertencem a outrem. Por sua natureza leal e sincera, podem ser considerados como excelentes inimigos, pois nunca perseguem seus antagonistas e jamais castigam os mais fracos.

Em virtude das vibrações generosas deste signo e de seu regente, os sagitarianos têm um coração sempre sensível a todos os apelos. Nunca negam seu auxílio a quem vem bater à sua porta e estão sempre prontos a ajudar a todos, indistintamente, seja o solicitante um desconhecido, seja seu maior amigo ou seu inimigo da véspera.

Esta qualidade do Centauro pode transformar-se em fraqueza, pois por excessiva generosidade o sagitariano pode prejudicar e até mesmo arruinar sua vida. O dinheiro não costuma criar raízes em suas mãos e nem sempre é gasto com proveito. Confiando demasiadamente na honestidade dos outros, não raro acaba sofrendo pesados prejuízos e pagando dívidas alheias. Por não saber negar um favor, muitas vezes ajuda a quem não precisa e gasta suas energias trabalhando pelos outros, quando poderia utilizá-las melhor em proveito próprio.

O sagitariano pertencente ao tipo material, ou de vibrações inferiores, não se enquadra no que foi dito agora sobre generosidade, pois ele só pensa em si mesmo e jamais se preocupa com seus semelhantes, procurando sempre tirar alguma vantagem, mesmo diminuta, de todos os acontecimentos e de todas as criaturas. Insensível às elevadas vibrações de Sagitário e recebendo apenas sua irradiação inferior, ele não compreende que aquilo que é dividido multiplica-se ao infinito, seja amor, ódio, dinheiro ou prazer.

Vontade e fé

Os nativos de Sagitário, seja qual for a sua idade, sempre têm uma centelha de juventude em seu íntimo. São entusiastas e apaixonados e se lançam com exagerado ardor a todas as tarefas. Estão sempre prontos a pôr suas energias e seu dinheiro em qualquer empreendimento que lhes pareça atraente, antes mesmo de verificar se ele compensará os esforços e gastos. Os tipos positivos nascidos em Sagitário possuem uma férrea vontade e parecem dobrar tudo e todos com sua dominadora e magnética personalidade, a exemplo do sagitariano Winston Churchill, que foi a arma de guerra mais importante para a vitória da Inglaterra. Em outros nativos, todavia, o ritmo mutável deste setor zodiacal determina uma instabilidade de ação e de vontade e, para eles, nem todos os empreendimentos chegam ao fim e nem todos os sonhos se transformam em realidade; essa debilidade deve ser combatida, a perseverança deve ser cultivada, para que sejam atingidas todas as regalias que Sagitário põe ao alcance de seus nativos.

Os tipos inferiores de Sagitário são vaidosos e orgulhosos, extremistas em suas opiniões e intransigentes em suas atitudes; gostam de dominar, são fanáticos em religião, política ou futebol e costumam pregar moral, embora, freqüentemente, sejam imorais e licenciosos. Os tipos evoluídos são generosos, cordatos, compreensivos e fraternos; defendem suas opiniões, no entanto, respeitam os conceitos alheios; e, quanto à moral, costumam praticar aquilo que pregam. Sua natureza não é muito mística mas dificilmente se encontra, entre eles, alguém que negue absolutamente a idéia de Deus ou a existência de poderes ou criaturas divinas. A fé sempre existe em todo o sagitariano, sendo interessante notar que Sagitário rege a religião mas não a crença; o sagitariano domina a liturgia, o cerimonial religioso, com seus rituais, seus paramentos, seus cânticos e suas preces, mas nada tem a ver com a fé, que brota espontânea e pura tanto no coração do ignorante como no do sábio e que não necessita de templos ou de rituais para continuar ardendo.

Síntese

Sagitário não só é poderosa fonte de energia criadora mas também é importante agente de evolução e aperfeiçoamento, pois sabe tomar aquilo que foi criado sob a irradiação de outras Casas cósmicas do zodíaco, dar-lhe uma estrutura própria, uma função útil e integrá-lo na harmonia do conjunto. É, pois, não só a chama que idealiza e cria, mas, também, a força que realiza, ordena, classifica e utiliza.

Seus nativos têm uma importante função dentro da humanidade atual, ou melhor dizendo, dentro do momento atual da era adâmica, onde o homem já evoluiu a ponto de criar uma organização que lhe permitirá caminhar para um estado ideal, onde todos possam viver sem a pressão de credos políticos ou religiosos e sem a limitação imposta pelas necessidades econômicas ou pelas barreiras sociais e raciais.

Sagitário, o criador de castas, hierarquias, ordens e convenções, é, também, o signo onde existe a semente da Igualdade e da Fraternidade Universal. Ele é o agente intelectual das transformações sociais que independem de revoluções e crises; é por essa razão que, sob suas estrelas, pode nascer um Lazare Zamenhof, o fundador do Esperanto, a língua internacional que a humanidade, devorada por ódios e ambições, ainda não está pronta para receber.

O DESTINO

Antes mesmo do seu nascimento o homem já começa a integrar-se no concerto cósmico universal. Seus primeiros sete meses, três na condição embrionária e quatro na condição fetal, são as sete etapas formativas, no fim das quais está apto para nascer e sobreviver. Os dois últimos meses são dispensáveis, mas a Natureza, mãe amorosa e cautelosa, os exige e só as dispensa em casos extremos, pois a criaturinha que vai nascer necessita fortalecer-se e preparar-se para a grande luta que se iniciará no momento em que ela aspirar o primeiro hausto de ar vivificante.

Durante os nove meses de permanência no útero materno, de nove a dez signos evoluem no zodíaco celeste; de modo indireto suas induções são recebidas pelo sensível receptor que é o indivíduo que repousa, submerso, na água cálida que enche a placenta. É por essa razão que observamos, em tantas pessoas, detalhes de comportamento que não correspondem às determinações do seu signo natal; isto indica que elas têm uma mente flexível e sensível e que estão aptas para dedicar-se a inúmeras atividades.

Ao nascer, a criatura recebe a marca das estrelas que dominarão seu céu astrológico e que determinarão seu caráter, seu temperamento e seu tipo físico, além de dar-lhe um roteiro básico de vida. As vibrações percebidas durante a permanência no útero materno, por uma sutil química cósmica, são filtradas e quase totalmente adaptadas às irradiações das estrelas dominantes. As influências familiares e a posição social ou financeira dos progenitores nunca modificarão o indivíduo; apenas poderão facilitar ou restringir os meios que ele terá para afirmar sua personalidade e realizar, de modo positivo ou negativo, as induções do seu signo natal.

Alguém, portanto, nascido entre 22 de novembro e 21 de dezembro, provenha de família de rígidos princípios ou de moral relaxada, venha à luz numa suntuosa maternidade ou no canto de uma casa humilde, seja criado com carinho ou desprezado pelos seus, será sempre um sagitariano e terá o destino que Sagitário promete aos seus nativos. Esse destino será brilhante ou apagado, benéfico ou maléfico, de acordo com a qualidade e o grau de evolução de cada um.

Evolução material

Possuindo vibrações muito elevadas e benéficas, o signo de Sagitário promete aos seus nativos um destino muito favorável, desde que eles saibam aproveitar todas as oportunidades que seguramente surgirão em seu caminho. Em virtude de as vibrações de Sagitário sempre tornarem fácil a existência dos seus protegidos, os seus nativos poderão notar que, em toda a sua vida, mesmo nas piores situações, os acontecimentos sempre terão um resultado menos maléfico do que poderiam ter em iguais circunstâncias.

A vida do nativo de Sagitário terá sempre um curso ascendente e, ao alcançar a idade madura, ele terá uma vida abastada, tranqüila e alegrada pelo carinho dos amigos e pelo respeito da sociedade. Se a ambição o impelir a tanto e se possuir uma vontade ardente e obstinada, poderá alcançar as mais altas posições, tanto na política, como nas leis, na carreira militar ou em qualquer das atividades ou profissões governadas por este signo e por seu planeta regente.

O progresso oferecido pelas estrelas de Sagitário não é rápido, não tem a velocidade meteórica do sucesso que acontece quando existe uma passageira configuração estelar excepcionalmente brilhante, que não tem consistência e pode desaparecer tão rapidamente quanto veio. Em Sagitário, a marcha da fortuna se processa a passos lentos, porém seguros e determinados. Mesmo nos casos em que a infância dos sagitarianos for muito modesta, a sorte caminha sempre ao seu lado e eles se elevam, social e financeiramente, à medida que os anos vão passando. Na verdade, esta é a melhor forma de progredir, pois todos os bens adquiridos desse modo criam raízes e se multiplicam, ao passo que tudo o que vem demasiadamente rápido não tem tempo e nem possibilidade de se estabelecer solidamente.

Os pontos débeis que poderão entravar o progresso dos sagitarianos serão a sua impaciência e a sua falta de perseverança, fraquezas que os impedirão de levar a bom termo os seus empreendimentos. Naturalmente, os tipos superiores de Sagitário, embora impacientes, são bastante perseverantes e, quando desejam algo, não se detém enquanto não realizam seu objetivo; são apenas os seus tipos mais comuns que costumam desanimar logo que encontram as primeiras dificuldades ou então perdem o interesse na empresa e se entusiasmam por outra novidade qualquer. Corrigindo essas debilidades, que tanto poderão afetar suas finanças como sua posição social e sua felicidade doméstica, os nativos deste signo terão uma ascensão mais positiva e rápida.

Os sagitarianos, em toda a sua existência, serão acompanhados por uma boa estrela, ou seja, pelos reflexos elevados e benéficos de Júpiter, que jamais os deixará desamparados, ajudando-os a superar todos os obstáculos e a vencer todas as lutas.

Família

O destino de quase todos os sagitarianos indica família pequena; quando ela for numerosa, seus membros provavelmente viverão separados, residindo em casa de estranhos, de parentes ou mesmo em colégios ou instituições educativas. Alguns membros da família poderão, também, viver em cidades ou países distantes do lugar onde se encontra o nativo.

Em virtude da posição cósmica de Sagitário, as relações entre o sagitariano e seus pais tanto poderão ser muito harmoniosas como indiferentes ou, até mesmo, hostis, pois estes terão naturezas muito diversas da do nativo deste signo. O sagitariano, aliás, nunca será muito apegado à família e sua intimidade maior será apenas com seus progenitores e seus irmãos, mantendo pouco contato com tios, primos, ou demais parentes. Em certos casos, há indícios de que o nativo poderá perder completamente o contato com seus familiares, até mesmo os mais próximos.

Em todo o tema astrológico, solar, de um sagitariano, existe sempre a promessa de um legado ou herança vindo de parente afastado; não raro essa herança deixará de ser recebida por estar o nativo completamente desligado de sua família e, em certos casos, até por haver adotado outro nome.

Os nativos de Sagitário terão poucos irmãos, sendo que um deles poderá alcançar grande prestígio ou fortuna, por trabalhos intelectuais, artísticos ou científicos. Intelectualmente e espiritualmente os sagitarianos terão bastante afinidade com eles, mas a convivência nunca será muito harmoniosa em virtude da diversidade de personalidades. Existe, também, a probabilidade de separação entre o nativo e seus irmãos, que poderão viver em cidade ou país distante.

Amor

O amor é indispensável a todo sagitariano, que só se sente completo quando encontra a sua metade ideal. Os anos da juventude prometem muitos namoros e muitas aventuras, existindo o perigo de um casamento prematuro e irrefletido, com pessoa de baixa condição social ou de moral duvidosa.

No horóscopo de quase todos os nativos de Sagitário aparece a promessa de dois casamentos ou duas uniões, além de alguns casos amorosos que trarão mais prejuízo do que satisfação. Muitos sagitarianos manterão, simultaneamente, uma vida matrimonial e uma união ilegal; alguns se separarão do cônjuge para viver com outra criatura. Em todos os casos, o casamento sempre terminará em separação, amigável ou judicial, e os filhos serão causa de problemas, brigas e questões.

A segunda união ou casamento será mais feliz do que a primeira, que poderá trazer prejuízos financeiros, sociais ou morais ao nativo. Isto, porém, não quer dizer que o sagitariano só poderá encontrar a felicidade casando-se, abandonando o cônjuge e unindo-se à outra pessoa; quer dizer, apenas, que um matrimônio irrefletido jamais terá longa duração. A metade eleita deverá ser bem escolhida porque o sagitariano nunca conseguirá conviver com alguém por quem não sinta completa afinidade física, mental e espiritual.

Unindo-se a uma criatura com quem se harmonize integralmente, o sagitariano terá maiores probabilidades de sucesso porque sua ambição sempre é maior quando ele tem alguém por quem lutar.

Filhos

O signo de Sagitário é bastante fecundo mas nem sempre os sagitarianos serão presenteados com um grande número de filhos, dependendo sua descendência da maior ou menor fecundidade do cônjuge.

Sagitário promete mais alegria com os frutos do espírito do que com os da matéria, ou seja, com os filhos. Quando o sagitariano se separar do cônjuge nunca existirá grande aproximação ou afinidade entre ele e seus descendentes, que poderão até demonstrar-lhe grande hostilidade. Quando, porém, sua vida amorosa for harmoniosa, os filhos dela provenientes trarão alegria, prazer e orgulho e existirá muito amor entre eles e o nativo.

Um dos filhos poderá ter saúde débil e necessitará de cuidados especiais durante a infância. À medida que os anos forem passando, as preocupações relativas à saúde deixarão de existir, mas surgirão outras, provocadas por incompatibilidade de gênios entre o sagitariano e seus descendentes. Mais uma vez é bom repetir que só existirá carinho e compreensão entre o sagitariano e seus filhos quando estes nascerem de uma união feliz.

Vida social

A posição social dos sagitarianos terá o mesmo sentido ascendente que poderá ser observado em todos os setores de sua vida, e mesmo que sua origem seja modesta, seu prestígio crescerá com o tempo, de modo lento, porém, certo e seguro. Nas lutas que terão de enfrentar para conseguir uma posição afortunada e o respeito da sociedade, estes nativos também serão favorecidos por sua boa estrela, por seu senhor planetário, o benéfico Júpiter, que promete elevação e riqueza aos seus nativos.

O máximo cuidado deve ser tomado nas relações estabelecidas com o sexo oposto, pois estas poderão ser mal interpretadas. Mesmo sem nenhuma culpa, por se unirem intimamente a elementos pouco recomendáveis, os sagitarianos acabarão se envolvendo em casos desagradáveis que terão desfavorável repercussão, trazendo-lhes prejuízos financeiros, brigas domésticas e descrédito social. Em muitos casos, pessoas da família também darão motivo de aborrecimentos, seja por algum problema relativo ao dinheiro ou por comportamento imoral, o que se refletirá desfavoravelmente sobre o sagitariano.

Por sua personalidade magnética e poderosa, os sagitarianos nunca serão pessoas neutras, isto é, nunca conseguirão passar despercebidos e sempre suscitarão reações fortes, de simpatia ou antipatia. As amizades que fizerem serão sempre úteis e agradáveis, mas os inimigos que conseguirem serão traiçoeiros e vingativos e sempre procurarão atingi-los em sua vida íntima ou em seu prestígio pessoal; os sagitarianos poderão ser caluniados por eles e, até provarem a inverdade das coisas ditas a seu respeito, sofrerão prejuízos morais e financeiros.

As estrelas de Sagitário prometem sucesso, alegria, prestígio e fortuna aos seus nativos e, devido a isto, seu caminho andará sempre semeado de invejosos que procurarão colocar obstáculos aos seus passos; assim sendo, o sagitariano deverá ter sempre os olhos bem abertos, para não ser prejudicado por eles.

Finanças

Júpiter e Sagitário, como já foi dito, costumam trazer riqueza e prestígio aos seus nativos; porém se o sagitariano quiser ter uma situação financeira próspera e sólida, deverá não só saber guardar o seu dinheiro, como, também, deverá aprender a gastá-lo com sabedoria. Os empréstimos feitos a amigos, os endossos de títulos ou promissórias, os casos amorosos, os jogos de azar e as especulações arriscadas serão sempre as principais causas de prejuízo e até mesmo de ruína financeira na vida dos sagitarianos.

A fortuna de todo sagitariano é geralmente conseguida à custa do seu próprio esforço. Mesmo quando ele nasce no seio de família abastada e inicia sua vida com um lastro financeiro razoável, sempre procura fazer fortuna à parte, com seus próprios méritos, porque sente orgulho e prazer em provar, a si e aos outros, que é capaz de vencer sozinho.

Assim como o seu prestígio pessoal, suas finanças também terão um sentido ascensional, lento, porém, constante. Renome e dinheiro caminharão paralelamente em sua vida e, quanto mais conceituada for sua posição social, maior será a sua fortuna. Na juventude dificilmente conhecerá muita riqueza, a não ser que esta venha por intermédio de seus progenitores ou que o destino o faça viver com pessoas de alto nível econômico; na idade madura, porém, o sagitariano seguramente terá atingido uma situação financeira bastante próspera.

Uma herança ou um legado, recebido de parente distante, poderá trazer inesperados benefícios ao sagitariano. Em certos casos estes benefícios virão por parte da pessoa a quem o nativo se uniu amorosamente ou afetivamente durante algum tempo, separando-se depois. No primeiro caso, o nativo correrá o risco de não receber os bens herdados, seja por interferência ou traição de parentes, seja por encontrar-se completamente afastado de seus familiares.

Todos os negócios com terrenos, loteamentos, fazendas, chácaras, sítios, casas, apartamentos, etc., poderão trazer grande riqueza aos nativos de Sagitário. Como, porém, nenhum sagitariano possui muita habilidade para lidar com documentos e, por sua exagerada boa-fé, é facilmente enganado por qualquer espertalhão, será necessário o maior cuidado com todas as compras ou vendas e com as assinaturas de todos os papéis e documentos, a fim de que não ocorram prejuízos da mais alta gravidade.

Sabendo orientar seu caminho e escolher sua profissão, e aprendendo a não espalhar inutilmente seu dinheiro e a não fazer negócios imprudentes, o sagitariano poderá ter certeza de que ao atingir a idade madura sua situação financeira será das mais prósperas, podendo ele ser dono de considerável fortuna antes de chegar à velhice.

Saúde

Os nativos de Sagitário quase sempre nascem muito bem dotados, tendo um físico forte e bem construído e possuindo poderosa vitalidade. Este signo determina grande inclinação para a vida ao ar livre, para a ginástica, os esportes e toda forma de exercícios, desde o pingue-pongue até a dança; e quando o sagitariano segue estas determinações sua saúde se torna ainda mais estável e seu físico mais perfeito e atraente.

Sagitário governa a região dorsal, as nádegas e quadris, o íleon, o fígado, os nervos ciáticos e os músculos. Quando os aspectos planetários são bons, os sagitarianos tem estas partes, órgãos ou funções perfeitamente dinamizados, mas, com aspectos adversos em seu céu astrológico, podem ser atacados por várias enfermidades; estão sujeitos a paralisia, reumatismo nas pernas e nas coxas, pancadas e ferimentos na região dorsal, perturbações no fígado, dores ciáticas, lumbago e distúrbios nervosos de toda espécie.

Júpiter exerce especial influência sobre os pulmões, as costelas, o pâncreas, os tecidos gordurosos, as artérias, o sêmen e rege também as funções do fígado. Quando os aspectos planetários são favoráveis, os sagitarianos têm estes órgãos em perfeito funcionamento, mas quando as irradiações são desfavoráveis eles estão sujeitos a várias moléstias e perturbações, devendo haver especial cuidado contra a arteriosclerose, os males pulmonares e as doenças do fígado.

Este signo sempre proporciona uma tendência para o refinamento e até mesmo o exagero no comer, tornando seus nativos bastante gulosos e incapazes de resistir ao aroma e à beleza de um prato de doces ou salgados. Quando for atingida a idade de trinta e cinco ou quarenta anos será prudente organizar um regime alimentar bastante leve, para que a obesidade, o colesterol ou as perturbações digestivas não venham a tornar-se problemas graves. Governando os tecidos gordurosos, Júpiter poderá provocar acúmulo de gordura no organismo, mesmo que o nativo não coma exageradamente. Pode, também, levar à eliminação deficiente dos resíduos intestinais, o que acarretará aumento de peso, gases, indisposição permanente e perturbações de toda espécie. É também Júpiter quem domina o metabolismo, e como qualquer alteração, para mais ou para menos, nunca é muito saudável, o sagitariano deverá consultar um médico sempre que seu peso estiver muito fora da tabela.

Em casos muito excepcionais, certos aspectos estelares podem provocar acidentes graves, por meio mecânico ou humano. Podem, também, determinar perigo de envenenamento por tóxicos, ou elementos químicos, devendo o sagitariano ter muita cautela quando tiver que tomar qualquer sedativo ou analgésico forte, devendo fazê-lo sempre sob rigoroso conselho médico. Há, ainda, o risco de ataques ou agressões com intenções criminosas e risco de ferimentos por pancadas ou quedas, de pequenas e grandes alturas, sendo aconselhável que o sagitariano desça escadas com cuidado e jamais se descuide quando estiver em algum lugar elevado.

Para todos os tipos planetários a fórmula para uma vida longa é quase sempre a mesma: nervos calmos, alimentação sadia, ar puro, sol e bom humor. Para o sagitariano ela é importantíssima; jamais ele viverá bem e bastante se não seguir essas prescrições, que poderão dar-lhe um vigor excepcional e uma saúde perfeita até o último dos seus dias.

Amigos

A profissão dos sagitarianos poderá obrigá-los a freqüentar os mais diversos ambientes, onde conhecerão pessoas de todas as classes. Sempre, porém, deverão escolher seus amigos entre elementos do seu nível social, ou de nível superior, e nunca deverão dar intimidade a elementos de educação ou posição inferior, pois serão grandemente prejudicados.

Entre seus amigos, os sagitarianos contarão com pessoas de poderosa influência social, política ou econômica. Por seu orgulho, temendo uma recusa humilhante, evitarão recorrer a esses amigos quando necessitarem de ajuda para realizar seus objetivos; este é um receio inútil, porque sempre serão atendidos quando solicitarem qualquer favor.

Entre suas amizades os sagitarianos terão muitos artistas e intelectuais e uma pessoa do sexo oposto será de poderosa influência em sua vida. Um dos seus amigos poderá ver-se envolvido em questões ideológicas, políticas ou religiosas e o sagitariano será injustamente implicado, podendo sofrer alguns aborrecimentos ou perseguições.

Inimigos

Assim como o destino promete ao nativo de Sagitário bons amigos, promete-lhe também inimigos rancorosos, traiçoeiros e vingativos, que procurarão atacá-lo pelas costas e visarão prejudicá-lo em sua felicidade doméstica ou em seu prestígio pessoal.

Por questões financeiras, políticas ou profissionais os sagitarianos arranjarão perigosos adversários, que procurarão entravar seu progresso e causar danos ao seu bom nome, sendo que alguns desses elementos não hesitarão em lançar mão de meios misteriosos para causar-lhes mal.

Os antagonistas mais perigosos serão aqueles que se esconderem sob a capa de uma pretensa amizade; freqüentando a casa dos sagitarianos e estando inteirados de todos os seus negócios, projetos e problemas, farão de tudo para que não consigam sucesso e paz. Para viver feliz, o nativo de Sagitário deverá saber distinguir bem seus amigos dos seus inimigos.

Viagens

Inúmeras viagens estão marcadas no destino dos sagitarianos, que desde a infância poderão deslocar-se para lugares os mais diversos, onde ficarão por pouco tempo para mudar-se em seguida para local diferente. No destino de alguns nativos de Sagitário há promessas de longas viagens, aéreas ou marítimas, aos mais distantes pontos do globo; estas poderão ser motivadas tanto por negócios como por assuntos ligados à família e sempre trarão muita satisfação e proveito.

Num desses deslocamentos o sagitariano poderá travar relações com pessoas influentes que mais tarde terão papel importante em sua vida. Uma das viagens promete lucros inesperados, relacionados com o governo ou com altas personalidades políticas. O sagitariano não deve ausentar-se por muito tempo, deixando seus negócios em mãos de terceiros; durante um dos seus afastamentos, correrá o risco de roubos ou prejuízos causados por pessoa de condição subalterna.

Todo sagitariano que não tem oportunidade de realizar as determinações do seu signo, é sempre um incansável ledor de romances de aventura e um freqüentador assíduo dos cinemas, procurando nas emoções lidas e vistas uma forma de satisfazer sua natureza errante.

Profissões

Sagitário é o signo da organização e do poder. Júpiter é o planeta do fausto e da hierarquia. Ambos, juntos, proporcionam riqueza, respeito e elevação, podendo os seus nativos realizar os mais ousados sonhos, desde que saibam aproveitar as poderosas induções das estrelas do seu nascimento.

O sagitariano possui uma inteligência aguda, brilhante e eclética e todas as profissões e atividades estão ao seu alcance, notadamente aquelas onde ele pode exercitar seu desejo de comando ou onde pode agir sozinho, sem ter que prestar contas a ninguém. Os nativos de Sagitário poderão destacar-se na carreira militar ou nos cargos públicos ou políticos, onde certamente alcançarão altos postos. A Medicina, em todas as suas especializações, a Psiquiatria, a Psicanálise e todas as Ciências que cuidam do bem-estar do corpo e da mente, assim como a nova Parapsicologia, que procura explicar o inexplicável e que pretende racionalizar aquilo que transcende os limites da razão, são atividades nas quais os sagitarianos alcançarão sucesso, pois estão mental e psiquicamente aptos para desenvolvê-las. Também a Advocacia, a Indústria, a Engenharia e demais profissões liberais poderão trazer fortuna e prestígio a estes nativos, que têm um poder intelectual imenso que os habilita a ocupar qualquer cargo ou desempenhar qualquer função.

Na Arte, na Literatura ou em qualquer atividade intelectual, os sagitarianos também poderão encontrar o caminho da fortuna e da fama, estando capacitados para todas as tarefas ligadas à educação e à cultura: poderão ser professores, sociólogos, filósofos, teólogos, geógrafos, historiadores, economistas, filólogos, poliglotas, psicólogos, escritores, jornalistas, poetas, pintores, críticos de arte ou organizadores de conferências, cursos, publicações científicas, artísticas, intelectuais ou culturais, diretores de museus e de organizações de pesquisa, homens de publicidade, chefes de empresa, relações públicas, estatística e ocupações semelhantes.

Também estão sob a proteção de Sagitário os ginastas, os caçadores, os aventureiros, os exploradores, os organizadores de viagens turísticas e os esportistas profissionais. Os sagitarianos poderão, ainda, trabalhar em clubes de jogo, de caça, de hipismo ou ocupar posições em tribunais, escolas e repartições públicas.

Possuindo excepcional habilidade para organizar e dirigir, os sagitarianos terão muito sucesso em todas as funções de responsabilidade. Também poderão dedicar-se à vida religiosa, onde serão mais movidos pelo fascínio do ritual do que propriamente pela fé e onde se destacarão por seu trabalho social ou intelectual.

Síntese

Por tudo quanto foi dito, pode-se bem julgar a brilhante, dinâmica e poderosa personalidade dos sagitarianos que, com sua simpatia, sua irradiação positiva e sua ação enérgica espalham uma aura de bem-estar espiritual e material.

No zodíaco, há signos que por estarem ligados a coisas vitais têm uma importância mais direta, como por exemplo Libra, que é a Casa do matrimônio e das associações, Touro, que guarda os mistérios das riquezas materiais, Capricórnio, que indica a posição social, Escorpião, que esconde o segredo da morte e do mundo sobrenatural ou Câncer, que é o setor indicativo da família. Sagitário não domina sobre nada material de grande importância; sua ação é mental, intelectual e espiritual tendo, portanto, um valor transcendente, que não se mede em termos comuns. Todavia, por sua contribuição à evolução humana, seu amor à vida, seu interesse por seus semelhantes e por sua natureza realizadora, fraterna e positiva, cabe aos nativos de Sagitário o mesmo que foi dito sobre os místicos cancerianos; poucos são aqueles que passam pela vida sem ter merecido o dom divino de existir.

A CRIANÇA DE SAGITÁRIO

A infância de alguns sagitarianos às vezes poderá não ser muito normal, em virtude de separação dos pais, vida doméstica irregular, condições financeiras muito modestas ou problemas semelhantes, que impedirão que lhes sejam dispensados os cuidados necessários. Esses pequenos sagitarianos com toda a certeza crescerão egoístas e agressivos e só se preocuparão em resolver seus próprios problemas, nem que seja à custa do bem-estar e da felicidade alheia.

Toda criança sente falta de carinho e o pequenino sagitariano, que tem uma sensibilidade muito desenvolvida e um sistema nervoso quase tão delicado quanto o da criança nascida em Gêmeos, deve sempre merecer atenções especiais. Ao crescer e integrar-se na comunidade ele retratará fielmente a educação recebida e os cuidados que lhe foram dispensados, dependendo de seus pais tornarem-no um homem positivo e útil ou uma criatura egoísta e revoltada.

Muitos sagitarianos demonstram logo cedo sua rebeldia e suas tendências autoritárias e dominadoras. Alguns são destrutivos como os pequenos arianos, com quem, aliás, se assemelham muito, igualando-se a eles nas travessuras e nos pendores aventureiros que os levam a subir em muros, árvores e telhados e a praticar ações audaciosas que freqüentemente acabam em fraturas, luxações ou ferimentos e deixam uma cicatriz como lembrança.

É bom não esquecer que Sagitário pode determinar inconstância. A perseverança, que parece tão insignificante, tem importância fundamental no destino de todas as criaturas. Ninguém realiza plenamente todas as promessas de seu destino se não tiver constância suficiente para superar os obstáculos e levar os empreendimentos até o fim. O futuro de todo sagitariano encerra possibilidades maravilhosas, mas será na infância que os pais deverão ensiná-lo a ter fé em si mesmo, a jamais abandonar uma tarefa antes de vê-la terminada e a não se deixar vencer pelos obstáculos.

Nenhum nativo do signo de fogo ou de ar aprecia o trabalho físico, preferindo sempre as atividades intelectuais. Sagitário é um signo intelectual, que confere grande inteligência e dinamiza poderosamente todos os centros cerebrais, mas a criança que nasce sob sua influência deve ser dirigida para o estudo. Voluntariamente, em seus primeiros anos, ela dificilmente se mostrará como um geniozinho, sempre de livro na mão, mas procurará os espaços livres para correr e brincar, parecendo-lhe o estudo uma tarefa penosa e cansativa. Somente com o correr dos anos é que o sagitariano sentirá despertar seu tremendo desejo de conhecimento e aí seus pais verão seus esforços recompensados.

O pequenino sagitariano nunca será muito obediente ou muito dócil. Respeitará seus progenitores ou responsáveis, mas não encarará os demais seres humanos com a mesma consideração. Demonstrará um temperamento agressivo desde cedo e freqüentemente se envolverá em brigas e questões com crianças de idade superior à sua; mas isto não deverá causar preocupações pois com o tempo sua natureza se tornará mais gentil. Tendo uma mente sensível e um temperamento orgulhoso e altivo, nunca deverá ser humilhado ou castigado perante estranhos pois guardará marcas para sempre.

Como as influências deste signo e de seu regente determinam certa delicadeza do pâncreas, do fígado e de determinados processos metabólicos, a criança que nasce neste signo poderá ter uma digestão difícil, um intestino delicado, um sistema nervoso bastante sensível e muita tendência para a gordura e para a inatividade, ou melhor, para a preguiça. Para todos os pequeninos, sol e ar puro são elementos importantes; para a criança de Sagitário eles são indispensáveis e associados à ginástica e às praticas esportivas poderão torná-la uma criatura de físico esplêndido e saúde perfeita.

O TRIÂNGULO DE FOGO

O elemento fogo manifesta-se em três signos: ÁRIES — LEÃO — SAGITÁRIO. Sua polaridade é masculina, sua vibração é irradiante, poderosa, dinâmica e vital. Sua essência é, naturalmente, única, mas em cada um desses signos ela sofre grandes modificações, de acordo com as seguintes influências:

- situação zodiacal do signo, como Casa *angular*, *sucedente* ou *cadente*, na qual se manifestará como o agente que impulsiona, que realiza ou que aplica;
- sua correspondência com as leis cósmicas de equilíbrio, em conformidade com as três modalidades de ritmo: *impulso*, *estabilidade* e *mutabilidade*.

De acordo com a vibração própria de cada signo é fácil saber se o nativo irá viver e agir norteado por suas emoções, por suas sensações ou por seu raciocínio. Isto nos é revelado pela palavra-chave de cada signo. Na triplicidade de fogo as palavras-chave são as seguintes: Áries, ATIVIDADE — Leão, GENEROSIDADE — Sagitário, INTELECTUALIDADE. Unindo-se essas palavras às determinações proporcionadas pela colocação do signo dentro do zodíaco e por sua modalidade rítmica podemos, então, definir, de modo mais completo, o triângulo de fogo:

Áries	Ação Sensação Impulso	Atividade
Leão	Realização Emoção Estabilidade	Generosidade
Sagitário	Aplicação Razão Mutabilidade	Intelectualidade

O fogo, como elemento comum a esses três signos, liga-os intimamente, e o sagitariano, além da influência de Sagitário e de seu regente, Júpiter, também recebe as vibrações de Áries e Leão e de seus respectivos regentes, Marte e Sol. Os nativos de Sagitário absorvem as vibrações destes signos e planetas de acordo com a data de seu nascimento. Júpiter domina sobre todo signo de Sagitário mas tem força especial durante os primeiros dez dias dos trinta a ele correspondentes; Marte tem influência participante sobre os dez dias seguintes e Leão colabora na regência dos dez dias finais. Dessa forma os sagitarianos se dividem em três tipos distintos, que são os seguintes:

Tipo SAGITARIANO–JUPITERIANO
nascido entre 22 e 30 de novembro

Tipo SAGITARIANO–MARCIANO
nascido entre 1º e 10 de dezembro

Tipo SAGITARIANO–SOLAR
nascido entre 11 e 21 de dezembro

Em todos os dias que integram o período que vai de 22 de novembro a 21 de dezembro a influência é extremamente poderosa. Durante esse período Sagitário é a constelação que se levanta com o Sol, ao amanhecer; oito horas mais tarde Áries surge no horizonte e decorrido igual espaço de tempo, chega a vez do generoso Leão. Dividindo-se, então, o dia em três períodos iguais, vemos que os três tipos sagitarianos se transformam em nove, mediante a combinação da hora e da data de nascimento. Estudando esses nove tipos ou nove faces de Sagitário, podemos interpretar com mais acerto a brilhante e magnética personalidade dos sagitarianos.

AS NOVE FACES DE SAGITÁRIO

Tipo Sagitariano–Jupiteriano

Data de nascimento: entre 22 e 30 de novembro

Qualidades: organização, magnanimidade, inteligência
Vícios: sensualidade, materialismo, orgulho

Hora natal: entre 6h e 13h59m

Todas as pessoas que nascem nos primeiros dez dias de seu signo e nas primeiras seis horas desses dez dias são as que possuem, com maior intensidade, as qualidades, e vícios induzidos pelo signo e pelo planeta regente. Assim, os sagitarianos nascidos nesse período são muito inclinados aos estudos, têm uma poderosa inteligência, que necessita apenas de cultivo para mostrar-se em toda a sua potência, e são magnânimos, altivos e generosos. Em compensação, são bastante vaidosos, gostam de dominar, apreciam os prazeres materiais e são sempre exigentes e exclusivistas.

Os tipos superiores nascidos nesse período são muito bem dotados, tanto no que se refere à sua mente como à sua parte espiritual. Os tipos inferiores só pensam em seu próprio prazer e nunca chegam a demonstrar a maravilhosa ação criadora e realizadora de Sagitário.

Hora natal: entre 14h e 21h59m

Os sagitarianos nascidos neste momento cósmico são mais impulsivos e entusiastas do que os nativos do momento anterior. Possuem um temperamento dominador e quase nunca estão dispostos a ceder o primeiro lugar aos outros. Sabem combater por seus ideais e quando desejam algo não cedem ou recuam enquanto não realizam seu intento; muitos destes sagitarianos, porém, só agem dominados por seus primeiros impulsos e são muito inconstantes, abandonando seus empreendimentos logo que encontram as primeiras dificuldades.

O ciúme, a intransigência, o orgulho e a vaidade são as debilidades encontradas com maior freqüência nestes nativos de Sagitário. Os tipos elevados nascidos nesse horário são muito idealistas mas sabem unir as suas elevadas qualidades morais à uma forte ambição e à uma vontade enérgica.

Hora natal: entre 22h e 5h59m

Estes sagitarianos são mais humanos, compreensivos e sensíveis do que os que têm seu momento natal nos dois períodos anteriores. As influências estelares desse momento cósmico proporcionam uma inteligência brilhante, uma personalidade magnética e uma vontade firme e poderosa. Quando cultivarem suas qualidades naturais poderão aspirar às mais elevadas posições que elas estarão sempre ao seu alcance, pois, além do poder mental, este período confere ambição e objetividade, duas qualidades indispensáveis aos que querem conseguir sucesso e fortuna.

Sendo dotados de grande sensibilidade e raro bom gosto, os nativos de Sagitário que recebem as vibrações aqui contidas podem demonstrar grandes aptidões artísticas. Os tipos negativos costumam prejudicar sua saúde e seu destino pela forma intensa com que costumam entregar-se aos prazeres materiais.

Tipo Sagitariano–Marciano

Data de nascimento: entre 1º e 10 de dezembro

Qualidades: entusiasmo, inteligência, atividade
Vícios: sensualidade, egoísmo, frieza

Hora natal: entre 6h e 13h59m

Os nativos deste decanato, que recebe a influência participante de Marte, são os tipos mais dinâmicos, realizadores e ardentes de Sagitário; são, também, os mais orgulhosos, dominadores e prepotentes. Aqui poderá existir, também, uma negação de forças e estes sagitarianos terão, então, uma personalidade débil e uma natureza comodista e passiva, inimiga de qualquer luta, mesmo daquelas que são em proveito próprio.

Este período aumenta a energia, mas diminui a capacidade de concentração. Seus tipos menos positivos encontram dificuldade em vencer na vida em virtude de que estão sempre entusiasmados com algum novo projeto e se dedicam a várias atividades sem persistir em nenhuma. Os tipos negativos nascidos neste período são frios e egoístas e possuem um temperamento violento, muito inclinado às brigas e discussões.

Hora natal: entre 14h e 21h59m

As debilidades existentes no período anterior se mostram ainda mais acentuadas aqui, o mesmo acontecendo com suas qualidades. Estes sagitarianos vivem de modo intenso e não gostam de encontrar obstáculos aos seus desejos ou projetos. São ambiciosos e realizadores e quando têm uma natureza positiva seu progresso é sempre rápido e fazem fortuna com facilidade; às vezes, porém, movidos pela ambição, descuidam-se dos seus familiares e até mesmo da sua saúde, prejudicando assim não só sua felicidade doméstica como o seu próprio bem-estar.

Este momento cósmico dinamiza a inteligência, mas obscurece a intuição e seus nativos às vezes se envolvem em maus negócios ou se lançam a empresas demasiadamente arriscadas apenas porque não procuram desenvolver aquele sexto sentido que sempre acompanha o homem vitorioso.

Hora natal: entre 22h e 5h59m

Os sagitarianos aqui nascidos, apesar de possuírem a mesma natureza ardente, impulsiva e ambiciosa dos nativos do período anterior, são mais generosos, compreensivos e prudentes. Mesmo tendo a tendência de mergulhar demasiadamente em seus negócios, esquecendo-se da saúde e do bem-estar físico; são profundamente afetivos e não se descuidam daqueles a quem amam.

Os tipos superiores deste momento cósmico possuem grande valor moral e estão sempre prontos para lutar em benefício dos fracos ou desfavorecidos, mesmo em prejuízo dos seus próprios interesses. Dotados da poderosa inteligência que Sagitário sempre dá aos seus nativos, estão capacitados para desempenhar funções da maior responsabilidade e sempre se saem bem em seus empreendimentos. Os tipos negativos são materialistas, sensuais e vaidosos ao extremo.

Tipo Sagitariano–Solar

Data de nascimento: entre 11 e 21 de dezembro

Qualidades: organização, generosidade, inteligência
Vícios: comodismo, sensualidade, orgulho

Hora natal: entre 6h e 13h59m

Os sagitarianos nascidos neste decanato, que vai de 11 a 21 de dezembro, e que apresenta as vibrações solares unidas à irradiação magnânima e fraterna de Sagitário, são criaturas generosas, humanitárias e sensíveis. Possuindo uma extraordinária vitalidade, estes nativos podem ter o dom de curar e de transmitir energia aos mais fracos. Possuindo, também, uma personalidade magnética e dominadora jamais conseguem ser criaturas neutras ou apagadas, despertando sempre fortes simpatias ou antipatias.

Sagitário costuma prometer riqueza e poder aos seus nativos e estes sagitarianos, se quiserem desenvolver suas qualidades naturais e cultivar sua inteligência, poderão destacar-se em qualquer atividade artística, intelectual ou científica. Seus tipos inferiores são orgulhosos, sensuais, vaidosos e prepotentes.

Hora natal: entre 14h e 21h59m

Os nativos deste momento cósmico possuem uma personalidade muito atraente e dinâmica. São generosos e entusiastas e gostam de viver intensamente. Seus tipos mais extremistas amam, trabalham ou se divertem com exagero e quase nunca sabem agir com moderação e prudência. O comodismo é uma das características de Sagitário, mas estes seus nativos só são preguiçosos quando têm de fazer algo que não é de seu agrado. Aliás, eles raramente fazem aquilo que não lhes traz satisfação e preferem muitas vezes perder um bom emprego ou abandonar um bom negócio apenas porque não se sentem felizes com o que estão fazendo ou porque não conseguem viver sob as ordens de outras pessoas.

Os tipos negativos deste período são orgulhosos, vaidosos e prepotentes e preferem antes resolver seus problemas pela força do que pela razão.

Hora natal: entre 22h e 5h59m

Os sagitarianos que nascem neste período de oito horas são corajosos, voluntariosos e enérgicos. Gostam de competir e estão sempre procurando aprender coisas novas e procurando aperfeiçoar seus conhecimentos. Possuem um sentido ético muito desenvolvido, sabem mandar sem ofender e são dotados de um alto senso administrativo e coordenativo. São, também, muito independentes e obstinados e não raro se queimam na chama da própria teimosia, pois quando resolvem fazer algo não ouvem conselhos, não atendem à razão e nem se importam com as conseqüências. Sua personalidade é altiva e orgulhosa e dificilmente admitem que alguém os comande ou domine.

Os tipos inferiores deste momento cósmico são despóticos, muitas vezes cruéis e não se importam em fazer sofrer até mesmo aqueles a quem amam, contanto que realizem seus desejos.

SAGITÁRIO E O ZODÍACO

Harmonias e desarmonias no plano das relações de amizade, de amor e de negócios entre os nascidos em Sagitário e os nascidos em outros signos.

Nenhum ser humano vive protegido por uma campânula de vidro, livre do contato direto com seus semelhantes. No lar, na convivência com amigos, no trato dos negócios, estamos constantemente interagindo com inúmeras pessoas; algumas nos agradam porque têm um temperamento igual ao nosso ou porque nossas predileções são idênticas; outras não nos são simpáticas porque representam o oposto do que somos ou do que desejaríamos ser. Devemos aprender a conhecer nossos irmãos zodiacais e a apreciar suas qualidades. Observando-os poderemos, então, saber se aquilo que neles existe e que nos parece ruim talvez seja melhor do que o que existe em nós. Assim, o que seria motivo para antagonismo passa a atuar como elemento de complementação e aperfeiçoamento.

Dentro da imensidão de estrelas que povoam a galáxia chamada Via-Láctea, nosso Sol é um modesto astro de quinta grandeza, que se desloca vertiginosamente rumo a um ponto ignorado do Universo, carregando consigo seus pequeninos planetas com os respectivos satélites; dentro, porém, do conceito igualitário do Criador, esse diminuto Sol e a insignificante Terra, com seus ainda mais insignificantes habitantes, têm uma importância tão grande quanto o incomensurável conjunto de nebulosas e seus bilhões de estrelas.

Somos átomos de pó comparados com as galáxias e as estrelas, mas cada um de nós é um indivíduo que vive e luta. Para nós, nossos próprios desejos, predileções, antipatias e simpatias têm uma magnitude infinita. Temos de enfrentar problemas dos quais dependem nossa felicidade e sucesso. Para resolvê-los precisamos, quase sempre, entrar em contato com muitas outras pessoas que pertencem a signos diferentes do nosso.

Amor, amizade e negócios são os três ângulos que nos obrigam à convivência com outros tipos astrológicos. Analisando-os, estudaremos o vibrante signo de Sagitário em relação aos demais setores do zodíaco. Conhecendo as qualidades positivas ou negativas dos nativos de todos os signos, o sagitariano poderá encontrar a melhor fórmula para uma convivência feliz, harmoniosa e produtiva.

SAGITÁRIO–ÁRIES. Áries é o signo que abre o místico círculo zodiacal e sua influência é vibrante e poderosa. Nele o elemento fogo é a força que impele, movimenta, dinamiza e impõe, enquanto em Sagitário ele é a chama que inspira e, ao mesmo tempo, a força que utiliza, classifica e ordena. Ambiciosos, apaixonados, dominadores, às vezes não muito pacientes e não muito constantes, sagitarianos e arianos se parecem muito. Enquanto, porém, Áries tem o domínio de Marte, que torna seus nativos muito exclusivistas e personalistas e dá um sentido muito material a todas as suas lutas, Sagitário, tendo a regência de Júpiter, dá aos seus nativos tendências mais fraternas, dotando-os de uma natureza mais generosa e humana.

O ariano, quando recebe a influência mais idealista do seu signo do que a força objetiva e arrogante de Marte, transforma-se, como o sagitariano, num cavaleiro andante sempre pronto para lutar em defesa dos fracos. Seus tipos superiores, em generosidade, bondade, fé e entusiasmo, igualam-se àqueles nativos de Sagitário que recebem as vibrações mais elevadas do seu signo; e, trabalhando juntos, complementando-se de alguma forma, ambos poderão realizar obras extraordinárias. Note-se, porém, que o ariano inferior é cruel, indiferente, egoísta e materialista e as associações feitas com ele poderão trazer imenso prejuízo aos sagitarianos.

O nativo de Áries está sempre disposto a auxiliar seus semelhantes, mas é orgulhoso e autoritário; quem necessitar de sua ajuda deve solicitá-la com palavras adequadas, pois ele gosta de ser respeitado e admirado.

Amor — As uniões amorosas acontecidas entre sagitarianos e arianos poderão ser muito felizes desde que ambos os tipos astrológicos saibam conter o seu desejo de domínio; na vida doméstica, se não houver um intercâmbio de boa vontade dificilmente existirá harmonia e é justamente esse intercâmbio que dificilmente será conseguido entre nativos de Áries e de Sagitário.

Nos matrimônios em que se unirem tipos evoluídos, a afinidade mental e espiritual às vezes poderá minorar a incompatibilidade material. Nos casamentos entre tipos elevados, o ciúme, as aventuras ilegais e o gênio forte de ambas as partes serão os fatores de discórdia que poderão fazer com que o matrimônio seja desfeito.

Há menores probabilidades de harmonia quando os sagitarianos se afeiçoam a alguém nascido entre 21 e 30 de março; esse decanato de Áries é governado por Marte, que nunca anda em bons termos com Júpiter.

Amizade — Entre sagitarianos e arianos poderão nascer amizades muito fortes e sinceras. Como ambos são tipos inquietos, sempre dispostos a fazer alguma coisa diferente e audaciosa, as relações entre ambos serão agradáveis e movimentadas e em muitos casos poderão terminar em associações comerciais, intelectuais ou artísticas, bastante fecundas e lucrativas.

As relações fraternas entre nativos de Sagitário e de Áries poderão ser prejudicadas pelo temperamento de ambos. Entre tipos evoluídos elas serão, como já foi dito, agradáveis e produtivas, mas entre elementos inferiores poderão terminar de modo violento e até perigoso para os sagitarianos.

A afinidade será maior quando o nativo de Sagitário se unir fraternalmente a arianos nascidos entre 10 e 20 de abril; esse decanato de Áries tem a regência participante de Júpiter e seus nativos se parecem muito com os sagitarianos.

Negócios — Tanto sagitarianos como arianos têm brilhantes possibilidades de vitória em qualquer atividade, principalmente o nativo de Sagitário que possui uma capacidade de ordem e organização que o ariano, entusiasta e impulsivo, dificilmente conhece. A união entre ambos, com finalidades lucrativas, poderá ter imenso sucesso, desde que os dois saibam respeitar-se mutuamente e um não queira dominar o outro.

Como tanto os arianos quanto os sagitarianos não são muito prudentes quando lidam com dinheiro, os assuntos financeiros devem ser bem cuidados para não causarem brigas entre os sócios. Também os papéis e documentos devem sempre ser cuidadosamente verificados, porque estes dois tipos astrológicos não têm muita sorte com eles.

Para os sagitarianos, as melhores associações comerciais serão com as arianos nascidos entre 31 de março e 9 de abril.

SAGITÁRIO–TOURO. Touro é a Casa do zodíaco que domina os bens materiais e representa a riqueza e todos os bens adquiridos pelo esforço próprio. Simboliza a terra como sítio de exílio de Adão, onde ele, cumprindo sua pena, teve de trabalhar para, com o suor do seu rosto, conseguir seu sustento; representa, também, a terra como habitação, na qual pode ser obedecido o mandamento que diz *crescei e multiplicai-vos* e na qual o homem pode transformar em satisfação e alegria aquilo que lhe foi dado como castigo.

Sagitário rege a comunidade num sentido social, religioso e político, definindo as posições e dando um lugar e uma função a cada criatura. Existe, como se pode ver, profunda seqüência entre o trabalho de Touro e o de Sagitário, pois o segundo, por meio da ordem e da lei, preserva e defende aquilo que o primeiro trabalhou duramente para construir; assim, a complementação de ambos significa o cumprimento do destino dos homens.

O regente de Touro é Vênus, o planeta da cooperação e do amor. As vibrações venusianas são muito favoráveis e têm uma correspondência muita harmoniosa com as vibrações de Júpiter. Taurinos e sagitarianos, pois, têm muitas possibilidades de uma convivência feliz; é bom saber, porém, que o nativo de Touro, quando superior, é sincero, generoso, franco e amável, mas, quando inferior, é rancoroso, egoísta e sempre muito vingativo.

O taurino gosta de ajudar o próximo e quem precisar de seu auxílio não terá que esperar muito para ser atendido. Deve-se, porém, ter cuidado com os tipos negativos de Touro, que costumam tirar mais do que dão.

Amor — Existem promessas de grande felicidade nos matrimônios entre taurinos e sagitarianos, especialmente quando os nativos de Sagitário se afeiçoam a alguém de Touro nascido no primeiro decanato do signo, entre 21 e 29 de abril; estes dez dias de Touro têm a regência pura de Vênus que sempre se harmoniza bem com Júpiter.

Nos casamentos com taurinos nascidos entre 30 de abril e 9 de maio poderão acontecer muitas brigas e discussões por assuntos amorosos, questões de dinheiro ou, ainda, por intrigas ou calúnias de parentes, empregados ou pessoas de condição social inferior.

Para manter a paz doméstica, o sagitariano deverá evitar toda e qualquer relação mais íntima com elementos do outro sexo, pois o taurino é muito ciumento e exclusivista. Por ciúmes, intrigas ou mesmo por um mal-entendido, um casamento feliz poderá ser irremediavelmente arruinado.

Amizade — O sagitariano, quando se afeiçoa a alguém, gosta que a pessoa estimada atenda seus desejos e adote suas idéias e opiniões. A amizade entre ele e o nativo de Touro só será agradável quando ele não tentar dominar o taurino que, apesar de pertencer a um signo passivo, possui uma personalidade obstinada e dá tanto valor aos seus conceitos quanto aos seus bens materiais, defendendo uns e outros com igual ardor.

Os nativos de Sagitário nunca deverão dar intimidade aos taurinos de tipo negativo ou inferior; estes tipos, sensuais, egoístas e utilitários, procurarão tirar tudo quanto puderem do generoso sagitariano e não lhe trarão nenhum benefício, material ou espiritual. Ao tentar se relacionar com taurinos negativos, nascidos entre 30 de abril e 9 de maio, o sagitariano deverá ter cuidado para não se ver envolvido em escândalos ou para não sofrer graves prejuízos financeiros.

Negócios — Nas associações comerciais entre taurinos e sagitarianos os aspectos são os mesmos observados nas relações fraternas; só existirá harmonia enquanto o sagitariano não tentar dominar o rebelde taurino, que é um excelente elemento de complementação, mas só se dobra à vontade de alguém quando a compensação é grande. Aliás, o taurino, que é muito inteligente, laborioso e constante, eliminadas as possibilidades de antagonismos pessoais, poderá ser um sócio dos mais convenientes para o sagitariano.

A afinidade entre sagitarianos e taurinos será bem maior quando estes últimos tiverem nascido entre 21 e 29 de abril; esse decanato de Touro tem a influência pura de Vênus, que se harmoniza bem com Júpiter. Contudo, infelizmente, seus nativos são os que têm menos habilidade comercial. Os nativos dos demais decanatos são muito bem dotados para as atividades comerciais, no entanto não se harmonizam tão bem com os sagitarianos.

SAGITÁRIO–GÊMEOS. A palavra-chave de Sagitário é *Intelectualidade* e a de Gêmeos é *Inteligência*. A vibração dos dois signos é mental, poderosa e positiva, mas ambos diferem essencialmente em sua manifestação. Sagitário é rigoroso, ordenado e conservador e, embora seja um elemento intelectual de evolução, sua ação é racional, científica e lenta. Gêmeos, que pertence ao elemento ar, é freqüentemente um elemento de agitação e sua vibração carrega um fermento de inquietude e insatisfação.

Sagitário tem ritmo mutável, mas a ação de Júpiter lhe dá maior estabilidade, o que torna seus nativos mais determinados e lhes dá a faculdade de persistir naquilo que julgam necessário ou útil. Gêmeos também é um signo mutável e seu ritmo é acentuado pela regência de Mercúrio, que é um planeta inquieto e instável; a influência combinada de ambos dota os geminianos de uma personalidade brilhante mas lhes dá muita instabilidade emocional, e nas decisões e ações.

O sagitariano sempre leva a vida muito a sério; o geminiano é despreocupado, freqüentemente frio e costuma desprezar muitas das ordens e leis que Sagitário impõe. Intelectualmente estes dois tipos astrológicos podem ter muita afinidade, mas, materialmente, a harmonia entre ambos será muito difícil.

Quem precisar de um geminiano deve esperar um momento favorável, pois ele ora é generoso ora é indiferente, dependendo do seu estado mental e das circunstâncias do momento.

Amor — No horóscopo mensal dos sagitarianos Gêmeos corresponde à Casa das associações e do matrimônio. Os casamentos entre geminianos e sagitarianos deveriam ser muito felizes por serem determinados pelas estrelas, mas tal não acontece; tanto os sagitarianos como os nativos de Gêmeos têm temperamentos muito diferentes e a harmonia entre ambos é bastante problemática.

Existirá maior possibilidade de uma convivência feliz quando os sagitarianos se afeiçoarem a alguém nascido entre 30 de maio e 8 de junho; estes geminianos, que recebem a influência participante de Vênus, se adaptarão melhor ao temperamento dos sagitarianos.

Os casamentos com nativos dos demais dias de Gêmeos poderão ser perturbados por muitas brigas. Existe, em todas as uniões entre nativos destes dois signos, a ameaça de uma separação, amigável ou judicial.

Amizade — No setor relativo às associações fraternas é que se observam os melhores aspectos entre sagitarianos e geminianos, pois não existindo nenhum compromisso comercial ou nenhum laço moral para mantê-los obrigatoriamente unidos a convivência será sempre mais fácil e agradável.

Quando houver muita assiduidade ou muita intimidade entre estes nativos, a amizade poderá ser perturbada por muitas discussões ou acabará em briga. Possuindo uma natureza evasiva como o mercúrio, que é o elemento químico pertencente ao seu planeta regente, o geminiano não gosta de ser dominado por ninguém e ainda possui um espírito terrivelmente crítico; o sagitariano detesta ser criticado e sempre procura apadrinhar, proteger e conduzir as pessoas que estima; por estas condições, é fácil adivinhar que se sagitarianos e geminianos quiserem ser sempre bons amigos nunca deverão conviver muito de perto.

Negócios — Gêmeos sempre dá excepcionais habilidades comerciais aos que nascem sob suas estrelas. Os nativos de Sagitário, embora muito inteligentes, são menos bem-dotados nesse sentido. Não costumam, também, ter muito sucesso nos negócios porque sua boa-fé e sua natureza generosa e confiante fazem com que, em suas empresas, os prejuízos financeiros sejam bem maiores do que os lucros.

Em compensação, Sagitário tem uma capacidade de organização e direção que Gêmeos não possui e assim, geminianos e sagitarianos, unindo suas forças, poderão ter um êxito extraordinário; como condição essencial, porém, ambos deverão ser positivos, constantes e enérgicos.

Em todos os negócios feitos entre nativos de Sagitário e de Gêmeos os papéis e documentos devem ser muito bem cuidados para que depois não sirvam de motivo para questões entre os sócios.

SAGITÁRIO–CÂNCER. O Centauro e o Caranguejo são dois signos que, embora possuindo naturezas diametralmente opostas, complementam-se cosmicamente de modo extraordinário. Enquanto Sagitário é um signo de fogo, de constituição quente-seca, Câncer pertence ao elemento água, sua natureza é frio-seca e, não obstante sua exteriorização variável e oscilante, sua força interior é obstinada, constante e poderosa.

O signo de Câncer representa a mais importante de todas as instituições: a família. Sua ação, como a de Touro, é toda voltada para a defesa da comunidade, do clã; mas enquanto Touro preserva os bens materiais, Câncer cuida da conservação das tradições e do culto aos antepassados. Sagitário, como já sabemos, é a lei, a ordem, a hierarquia e a ética; é o setor zodiacal em que o homem cria toda a estrutura que irá defender a organização familiar criada em Câncer. Ambos os signos se harmonizam profundamente no que concerne à sua ação; já a afinidade material ou o antagonismo entre seus nativos fica dependendo da evolução de cada um.

Os cancerianos são muito místicos e sua imaginação é das mais ricas e poderosas. Os sagitarianos poderão aproveitar notavelmente a influência dos cancerianos e por eles poderão ser conduzidos a pesquisas no campo espiritual, com resultados bastante favoráveis.

Os cancerianos são muito fraternos e estão sempre dispostos a auxiliar o próximo; tudo farão para atender qualquer pedido, desde que este não interfira em sua vida particular.

Amor — O casamento, para o canceriano, é um ato da maior importância, não só moral como espiritual; representa a aprovação da sociedade e a permissão divina para a fundação daquilo que sempre lhe é muito caro, a família. Mesmo quando o matrimônio não lhe traz muita felicidade ele, raramente, procura separar-se do cônjuge, principalmente quando existe o problema dos filhos.

O sagitariano, sabendo escolher alguém de Câncer, cuja vibração seja positiva e evoluída, fará um dos melhores casamentos que o zodíaco pode lhe oferecer. Quando, porém, sua vida for unida a um tipo negativo ou inferior, terá que suportá-la para todo o sempre e, embora possa se separar parcialmente do cônjuge, jamais conseguirá romper todos os laços que o prendem a ele. As uniões mais harmoniosas acontecerão quando o sagitariano se afeiçoar a alguém nascido entre 21 de junho e 3 de julho.

Amizade — Os cancerianos são amigos generosos e dedicados e estão sempre presentes, tanto nos momentos de satisfação como nas horas de necessidade. Não costumam dar intimidade a estranhos e são um pouco reservados ante os novos conhecidos, mas quando passam a confiar em alguém e a considerá-lo no rol dos amigos abrem-lhe generosamente a casa e o coração.

O sagitariano sempre gosta de se saber querido. No canceriano ele encontrará uma companhia carinhosa e cálida; mas não deve tentar dominá-lo ou abusar de sua confiança, pois, com toda a sua natureza passiva e cordata, o nativo de Câncer sabe se erguer em fúria quando alguém o humilha ou ameaça sua estabilidade doméstica.

As relações fraternas estabelecidas com cancerianos evoluídos, principalmente os nascidos entre 21 de junho e 3 de julho e entre 14 a 21 de julho, podem levar a pesquisas espirituais muito importantes.

Negócios — As associações comerciais estabelecidas entre sagitarianos e cancerianos poderão ter muito sucesso, desde que ambos sejam positivos, enérgicos e decididos. Assim como o sagitariano é comodista, não aprecia o esforço físico e é, às vezes, bastante inconstante, o canceriano também pode sofrer dos mesmos males e uma associação entre tais elementos acabam em fracasso ruidoso.

Quando se unirem tipos positivos os lucros serão muito grandes, principalmente se for escolhida uma atividade comum aos dois signos. A Lua, regente de Câncer, é ótima comerciante e traz muita popularidade aos seus protegidos e, como se harmoniza bem com Júpiter, pode prometer fortuna e prestígio a cancerianos e sagitarianos, quando estes se associarem. Os nativos de

Sagitário, todavia, devem escolher bem os seus sócios de Câncer, pois os cancerianos, quando negativos, são maliciosos, desonestos e intrigantes ao extremo.

SAGITÁRIO–LEÃO. O signo de Leão é o trono zodiacal do Sol, que é o planeta que espalha vitalidade e energia através de todos os setores do zodíaco. Leão tem uma vibração generosa, altiva, nobre como o de Sagitário e a natureza de ambos se assemelha bastante. Não se deve esquecer, ainda, que o Sol tem afinidade com o signo de Sagitário, o que vem tornar ainda mais benéfica a aproximação entre esses dois signos.

Tanto Leão como Sagitário pertencem ao mesmo elemento, o fogo, possuindo, pois, uma natureza idêntica. Seus temperamentos também se assemelham e leoninos e sagitarianos são liberais e gostam de viver confortavelmente, sempre rodeados de coisas belas e agradáveis. Enquanto, porém, o sagitariano é intelectual e científico, o leonino é mais sensível, mais apaixonado e gosta de fazer somente aquilo que lhe traz prazer, mesmo que com isso não tenha benefício ou lucro algum.

Os sagitarianos têm uma vitalidade poderosa, o mesmo acontecendo com os leoninos. A personalidade de ambos também é muito parecida e é nisto que reside a maior ameaça às boas relações que possam existir entre ambos; dominadores, altivos, orgulhosos, detestando a crítica e não admitindo a superioridade de ninguém, os nativos destes dois signos dificilmente conviverão harmoniosamente, embora mental e espiritualmente possam ter grande afinidade.

O leonino repele a fraude e a mentira e só os honestos conseguem o seu apoio. Ao pedir-lhe um favor devemos, também, fazer-lhe alguns elogios, pois, embora muito justo e generoso, o nativo do Leão também é vaidoso.

Amor — Quando o amor nascer entre um sagitariano e um leonino de vibrações superiores, uma perfeita felicidade estará ao alcance de ambos, pois as vibrações de seus signos de nascimento prometem grande harmonia espiritual, mental e sexual. Quando, porém, se unirem tipos negativos ou quando o sagitariano se afeiçoar a alguém de natureza inferior, o casamento sempre tem um mau fim, trazendo consideráveis aborrecimentos ao nativo de Sagitário, que poderá ficar separado dos filhos.

Uma viagem poderá aproximar o sagitariano de seu cônjuge de Leão; em outros casos, uma viagem poderá ser causa de discórdia e até mesmo de separação entre ambos. É prudente lembrar que, nos casamentos entre nativos destes dois signos, um ou mais parentes poderão ser causa de brigas e perturbações, devendo sempre ser evitada a interferência da família na vida doméstica do casal.

Amizade — É no setor relativo às amizades que são encontrados os mais brilhantes e favoráveis aspectos entre sagitarianos e leoninos. Sagitário e Leão, centros cósmicos de elevadas irradiações, sempre tornam as relações fraternas entre seus nativos muito mais benéficas do que aquelas que são obrigadas por um compromisso, moral ou financeiro.

Quando nativos do Leão e do Centauro se unirem fraternalmente, dessa união poderão surgir associações artísticas, intelectuais ou científicas de raro valor, pois tanto sagitarianos como leoninos gostam de ocupar seu tempo com atividades desse gênero, principalmente quando elas são inspiradas num ideal desinteressado e quando podem trazer proveito à humanidade.

Os sagitarianos deverão evitar as relações com leoninos inferiores, que poderão arrastá-los aos excessos amorosos e a uma vida irregular, que trará prejuízos muito graves à sua saúde e às suas finanças.

Negócios — Todas as associações comerciais estabelecidas entre nativos do Centauro e de Leão, quando estes forem tipos positivos, enérgicos e ambiciosos, poderão trazer lucro, prazer e prestígio. Deve, porém, ser sempre lembrado que ambos os tipos astrológicos, sagitarianos e leoninos, nunca são muito prudentes ao lidar com dinheiro; se a parte financeira do empreendimento não for motivo de especiais cuidados a sociedade acabará num total fracasso financeiro.

As atividades favoráveis aos nativos destes dois signos são bastante semelhantes. O temperamento de ambos também é muito parecido e poderá dar motivo para discórdia e até inimizade; nenhum dos sócios quererá subordinar-se ao outro e as funções devem ser bem definidas para que depois não aconteçam as brigas e os problemas. Os melhores associados para os sagitarianos serão os leoninos nascidos entre 22 de julho e 2 de agosto.

SAGITÁRIO–VIRGEM. O signo de Virgem pertence ao elemento terra, sua constituição é frio-seca e seu regente é o versátil, ágil e inquieto Mercúrio, um planeta de natureza aérea que agindo no elemento terra de Virgem, cuja influência limita e aprisiona, parece ter suas qualidades naturais diminuídas em extensão mas aumentadas em força. Sagitário, que não se harmoniza bem com Mercúrio no campo cósmico de Gêmeos, onde ele se manifesta despreocupado, frio, vibrante em excesso, inconvencional e inquieto, tem maior afinidade com sua manifestação em Virgem, que é ordenada e construtiva.

Com maior afinidade não queremos significar harmonia; Júpiter, o regente de Sagitário, é hostil a Mercúrio e embora entre virginianos e sagitarianos possa existir uma relativa simpatia, para negócios e amizades, nunca existirá uma grande atração, capaz de favorecer uma convivência feliz. No amor, certos aspectos planetários poderão determinar atração material, ou sexual, mas nunca proporcionarão grande comunhão espiritual entre os nativos.

Os virginianos são calmos, enérgicos, concentrados, laboriosos, ambiciosos e constantes, representando, portanto, excelentes pólos de complementação para o dinâmico, porém agitado e nem sempre paciente, sagitariano. Os tipos negativos, porém, são muito perigosos e a convivência com eles poderá trazer muitas penas e mágoas aos sagitarianos.

Os nativos de Virgem são muito compreensivos mas quando negativos são excessivamente egoístas. Quem necessitar de um favor trate de procurar os primeiros, porque dos outros não arrancará nada.

Amor — A felicidade é problemática nos casamentos ou uniões entre sagitarianos e virginianos. O nativo do Centauro é dominador, exigente e exclusivista, mas tem, como compensação, uma natureza carinhosa e dedicada; casando-se com um virginiano superior ele poderá ter uma vida muito harmoniosa, mas será muito infeliz quando se unir a um tipo inferior que, além de um caráter débil e uma vontade vacilante, também é mesquinho e rancoroso.

A união com um nativo de Virgem trará sorte ao sagitariano, que terá um favorável impulso em seus negócios e verá não só suas finanças progredirem como sua posição social se tornar mais firme. Se, todavia, sua união for com um elemento negativo, o efeito será contrário, isto é, prejudicará suas finanças e o seu prestígio pessoal também será ameaçado. Mesmo nos casamentos felizes, intrigas ou calúnias de empregados ou pessoas de condição subalterna, poderão ser causa de separação.

Amizade — As amizades entre virginianos e sagitarianos oferecem aspectos mais harmoniosos do que o casamento. Como acontece no encontro com muitos outros tipos astrológicos, os nativos do Centauro conviverão melhor com os de Virgem quando a isso não forem obrigados por nenhum compromisso moral, social ou financeiro.

As relações fraternas com os virginianos serão úteis e agradáveis quando os sagitarianos se ligarem a tipos positivos. As melhores condições de harmonia, para os nativos do Centauro, acontecerão quando seus amigos de Virgem tiverem sua data de nascimento entre 12 e 22 de setembro; esse decanato tem a regência participante de Vênus, que se harmoniza bem com Júpiter.

Os sagitarianos devem evitar, tanto quanto possível, as relações com virginianos menos evoluídos, que poderão trazer graves prejuízos não só à sua felicidade íntima como à sua posição social e as suas finanças.

Negócios — Os sagitarianos não são muito bem dotados para as atividades comerciais, preferindo antes as tarefas intelectuais, a organização e a direção ou o trabalho de relações públicas do que a parte de compra e venda onde, por sua confiança e boa-fé, são freqüentemente iludidos.

Os virginianos são laboriosos, espertos e inteligentes e tanto podem dedicar-se a uma elevada atividade científica como à luta no campo comercial, com excelentes possibilidades de êxito. Unindo-se, sagitarianos e virginianos, os resultados poderão ser muito favoráveis, especialmente para os nativos do Centauro.

Nas associações entre estes dois tipos astrológicos todos os assuntos financeiros e todos os problemas relacionados com empregados, assim como os papéis e documentos, devem ser motivo de especial cuidado, pois poderão causar aborrecimentos e discórdias entre os sócios.

SAGITÁRIO–LIBRA. Libra é um dos mais importantes setores representados por esse caminho cósmico que é o zodíaco; em seus domínios o homem deixa de agir envolvido em seu próprio egoísmo, dominado pelo *eu* e pelo *meu*, para se integrar na comunidade e existir em função do *nós* e do *nosso*.

Libra é o signo das associações, afetivas ou comerciais, e é, também, o signo da Razão e da Justiça, no qual o homem aprende a pesar e a medir a si e aos seus semelhantes, dando-se e dando a cada um o seu justo e real valor. Seu regente é Vênus, o planeta da cooperação e do amor; as vibrações venusianas, dentro do campo cósmico determinado pela natureza aérea, vibrante, intelectual e racional de Libra, alcançam o seu mais alto grau espiritual e determinam as mais belas manifestações materiais, representadas pelo trabalho social, artístico ou intelectual de seus nativos.

O organizado, inteligente e sensível sagitariano costuma harmonizar-se muito bem com o libriano, que sempre é amável, cooperativista e fraterno, além de muito inteligente. Cosmicamente, a afinidade entre ambos é muito grande; materialmente a convivência é mais difícil, pois embora os dois tipos astrológicos sejam semelhantes em muitos pontos, ambos são independentes, rebeldes e auto-suficientes.

O libriano é justo e imparcial. Sente, porém, grande indiferença pelos problemas alheios e aqueles que solicitarem seu auxílio só serão atendidos quando seu pedido for muito justo.

Amor — É justamente no amor que será mais difícil a harmonia total entre librianos e sagitarianos, pois o destino de ambos sempre promete a possibilidade de uma separação. Isso não acontecerá quando se unirem tipos positivos e o matrimônio será dos mais felizes; quando, porém, o sagitariano se afeiçoar a um libriano inferior, o desentendimento será inevitável. Em muitos casos, estes nativos manterão uma vida em comum apenas em atenção aos filhos ou em obediência a preceitos religiosos.

Os melhores aspectos para o matrimônio acontecerão quando o sagitariano se afeiçoar a alguém nascido entre 23 de setembro e 1º de outubro; estes librianos, por sofrerem a influência pura de Vênus, têm uma personalidade magnética e atraente e um temperamento amável e gentil; seus tipos negativos, porém, são sensuais, vaidosos e egoístas e oferecem muito perigo justamente por serem dotados, também, de uma natureza insinuante e atraente.

Amizade — É no setor das relações fraternas que librianos e sagitarianos encontrarão os melhores aspectos. Quando um nativo de Libra se une fraternalmente a alguém, não raro a amizade se transforma em uma associação lucrativa e agradável; o mesmo poderá acontecer quando se ligarem aos sagitarianos e, como tanto a Balança quanto o Centauro são signos de fortuna, essa associação poderá ter resultados brilhantes.

O sagitariano se dará muito bem com o libriano nascido entre 23 de setembro e 1º de outubro, que recebe a irradiação pura de Vênus; igualmente, harmonizar-se-á com os que nascem entre 2 e 11 de outubro e 12 e 22 do mesmo mês, decanatos respectivamente co-regidos por Urano e Mercúrio. Quando, porém, sua amizade for com um elemento negativo, ou quando o inimigo se transformar em amigo, terá que ter extremo cuidado com os que tiverem sua data de nascimento nesses decanatos dominados por Urano e Mercúrio.

Negócios — Nenhum nativo do signo de ar ou de fogo aprecia o esforço físico, preferindo sempre as tarefas intelectuais; para eles, o exercício muscular só e agradável no clube, na praia ou num salão de danças. Numa associação entre librianos e sagitarianos os resultados poderão ser extraordinariamente favoráveis, quando ambos estiverem decididos a trabalhar realmente ou quando tiverem alguém para complementá-los adequadamente. Estas associações, quando entre tipos positivos, poderão trazer grande sucesso e fortuna, pois Libra e Sagitário são signos que prometem muito êxito.

Quando os sagitarianos fizerem algum negócio com librianos nascidos entre 12 e 22 de outubro, todos os papéis e documentos devem ser muito bem examinados, pois poderão provocar desarmonia entre os sócios; este decanato recebe a influência parcial de Mercúrio, que sempre traz, aos sagitarianos, complicações e aborrecimentos com assinaturas, finanças, etc.

SAGITÁRIO–ESCORPIÃO. O Centauro e o Escorpião, no zodíaco, estão separados pela enigmática constelação de Ofiúco, o Homem da Serpente, que corta a eclíptica, interpondo-se entre ambos. Como o Escorpião é a Casa da Morte e Sagitário é a Casa da Intelectualidade, da inteligência sublimada, a interferência de Ofiúco parece indicar que a morte material encerrada em Escorpião corresponde ao renascimento espiritual em Sagitário.

Escorpião é um signo pertencente ao elemento água, mas seu regente é Marte, cuja natureza é ígnea; por ambas as influências, os escorpianos são místicos, idealistas e sonhadores e, ao mesmo tempo, ativos, enérgicos, ambiciosos e práticos, possuindo uma mentalidade científica, uma inteligência desenvolvida e uma vitalidade poderosa, o que os torna física e mentalmente aptos para as mais duras tarefas e as mais difíceis realizações. Os sagitarianos sempre necessitam de um elemento que os complemente, pois são geniais criadores, possuem inato senso de mando e organização, mas não apreciam o trabalho intenso e constante. Nos escorpianos eles poderão encontrar seu complemento ideal, mas somente no que diz respeito ao trabalho ou às atividades mentais; materialmente a convivência entre ambos será bastante difícil em virtude de que ambos os signos, o Centauro e o Escorpião, tornam seus nativos rebeldes, independentes e auto-suficientes.

O escorpiano é voluntarioso e dominador mas sabe agir com generosidade. Não gosta, porém, de ser enganado e quem precisar de um favor seu, para ser atendido, deverá falar com absoluta sinceridade.

Amor — Amor bastante para suportar todos os choques, mesmo os mais violentos, é o que deverá existir para que a união entre um sagitariano e um escorpiano possa ser feliz e duradoura. Quando o nativo do Centauro não sentir grande afeto por seu cônjuge, ou quando unir sua vida à de um elemento de natureza inferior, seguramente o matrimônio acabará em separação, nem sempre amigável. Em muitos casos, mesmo existindo muita afeição entre ambos, o casamento poderá ser prejudicado e até desfeito por intrigas ou pela ação traiçoeira de inimigos ocultos, que usarão todos os meios para separar o sagitariano de seu cônjuge.

Sempre existirá maior perigo de brigas, intrigas ou desunião quando o sagitariano unir sua vida à de alguém nascido entre 23 e 31 de outubro: estes dez dias do Escorpião recebem a influência pura de Marte, que é muito hostil a Júpiter.

Amizade — Nas relações fraternas as possibilidades de harmonia são muito maiores, pois sagitarianos e escorpianos têm muitos pontos comuns que poderão determinar uma convivência agradável e desinteressada, entre ambos. As amizades que os sagitarianos mantiverem com os nativos de Escorpião poderão conduzir a estudos ou experiências espiritualistas, de caráter científico, que poderão ter resultados surpreendentes.

É bom lembrar, todavia, que o Escorpião é uma Casa cósmica de vibrações violentas e seus reflexos inferiores são muito prejudiciais. Os sagitarianos devem evitar toda a convivência com escorpianos negativos, pois sofrerão graves danos, principalmente morais. Devem acautelar-se, principalmente, contra qualquer amigo de Escorpião que, eventualmente, venha a se tornar seu inimigo; o escorpiano é um grande camarada, generoso, dedicado e sincero mas é um dos piores inimigos do zodíaco.

Negócios — O nativo de Escorpião, que une um temperamento sensível e uma grande intuição a uma natureza prática e utilitária, costuma ser excelente comerciante, principalmente quando nasce entre 11 e 21 de novembro, decanato que recebe a influência participante da Lua, que dá grande habilidade para os negócios.

Ao se associar a um escorpiano, o nativo do Centauro deverá procurar um tipo positivo, pois caso contrário os choques entre ambos serão violentos e a sociedade poderá ter um fim desagradável. Deve, também, ser escolhida uma atividade comum ao Centauro e ao Escorpião, ou que seja simultaneamente favorecida por Júpiter e pela Lua, para que o êxito seja certo e rápido.

É necessário evitar qualquer negócio com escorpianos negativos, principalmente os nascidos entre 11 e 21 de novembro, pois a Lua, dominando este decanato, torna seus nativos que têm uma natureza inferior desonestos e maliciosos.

SAGITÁRIO–SAGITÁRIO. Os nativos do mesmo signo têm naturezas semelhantes. Seus defeitos e qualidades são os mesmos, mostrando-se mais intensos ou mais suaves de acordo com a elevação espiritual, a educação e a sensibilidade de cada um. Assim, entre dois tipos evoluídos a harmonia poderá ser muito intensa ao passo que os tipos inferiores, mesmo possuindo afinidade no que se refere aos seus aspectos negativos, sempre viverão em choque pois não terão elevação suficiente para estabelecer uma comunhão pacífica.

O decanato de nascimento tem muita importância quando se estudam pessoas pertencentes ao mesmo signo. Os sagitarianos que tiverem sua data natal no primeiro decanato, entre 22 e 30 de novembro, conviverão bem entre si e se harmonizarão com seus irmãos de signo nascidos no terceiro decanato, entre 11 e 21 de dezembro; já com aqueles nascidos entre 1º e 10 de dezembro, segundo decanato, não terão a mesma afinidade, por ser este período dominado por Marte, que é hostil a Júpiter. Estes nativos do segundo decanato agirão da mesma forma, isto é, conviverão bem entre si, terão afinidade com seus irmãos nascidos entre 11 e 21 de dezembro, mas serão hostis aos que pertencerem ao primeiro decanato. Os tipos mais plásticos do Centauro são justamente os que pertencem ao terceiro decanato, que vai de 11 a 21 de dezembro; esse período tem a co-regência do Sol, que convive bem com Júpiter e mantém neutralidade com Marte.

O sagitariano é generoso e gosta de ajudar seus semelhantes. Agrada-lhe ser encarado como um benfeitor, mas é orgulhoso e vaidoso e gosta de ser tratado com muito respeito.

Amor — O amor é uma necessidade para todo nativo de Sagitário, que sempre acha mais encanto na vida e mais prazer na luta quando tem alguém para participar de seus triunfos. Deve ele, porém, evitar um casamento prematuro, mais determinado pelo sentimentalismo do que pelo amor e deve fugir de toda criatura que lhe seja espiritualmente inferior. Quando agir com acerto e unir seu destino ao de uma pessoa positiva poderá estar certo de que sua vida será muito feliz pois embora Sagitário tenha muitos defeitos, suas qualidades são muito mais numerosas e valiosas.

As possibilidades de uma vida feliz serão maiores para os nativos do mesmo decanato ou para os que nascerem entre 22 e 30 de novembro e 11 e 21 de dezembro. Os que tiverem sua data natal entre 1º e 10 de dezembro poderão harmonizar-se mutuamente, mas encontrarão uma felicidade relativa quando se unirem a alguém nascido nos demais dias do Centauro.

Amizade — Também nas amizades os aspectos são mais favoráveis entre nativos do mesmo decanato ou pertencentes a decanatos que mais se harmonizam. Aqui, todavia, sempre é possível estabelecer uma convivência mais pacífica entre todos os nativos do Centauro pois não existindo nenhum compromisso moral, social ou financeiro para mantê-los unidos, o puro afeto fraterno sempre ajuda a equilibrar as diferenças de temperamento.

Todo sagitariano é curioso, realizador e ambicioso e a união de forças iguais poderá determinar uma associação de caráter artístico, social, intelectual ou até místico, cujos resultados serão úteis e agradáveis. Acontece, também, que os nativos do Centauro são sensuais, amam os prazeres e gostam de viver intensamente; as amizades entre eles poderão levar a excessos perigosos, devendo ser evitada toda convivência com elementos de natureza inferior.

Negócios — Sagitário é um signo que promete riqueza e prestígio aos seus nativos. Todo sagitariano, desde que se prepare para isso, está apto para ocupar altas posições na política, no clero, nas forças armadas, em qualquer atividade artística, intelectual ou científica ou em qualquer trabalho onde tenha que mostrar habilidade e inteligência. Nos negócios, todavia, seu sucesso é problemático; por sua pouca habilidade para lidar com dinheiro e por sua excessiva boa-fé, freqüentemente é ludibriado e suas empresas trazem mais prejuízo do que lucro.

Assim, para que qualquer associação comercial tenha êxito financeiro, os sagitarianos devem aprender a lidar com dinheiro e a unir a malícia à inteligência. Em segundo lugar, devem cultivar a constância, pois o ritmo mutável do Centauro às vezes faz com que seus nativos abandonem seus empreendimentos logo que deparam com os primeiros obstáculos.

SAGITÁRIO–CAPRICÓRNIO. O signo de Capricórnio pertence ao elemento terra, mas sua figura simbólica é anfíbia, estranha criatura híbrica que possui corpo de peixe e cabeça caprina. Sendo um signo de terra, domina a forma e sua influência limita e cristaliza, ao passo que a de Sagitário é radiante e transformadora. O regente cósmico da Cabra Marinha é Saturno, o Grande Juiz, o mais severo de todos os planetas, cujas vibrações vem tornar ainda mais poderosas e profundas as irradiações desse setor zodiacal.

No Centauro tudo é alegria e vontade de viver; e apesar de ele ser o signo da ordem, da ética, da lei e da religião, também é o signo da fraternidade e da generosidade e sob sua influência a comunidade progride, cresce e se mantém unida e feliz. Já nos domínios da Cabra Marinha as vibrações são calmas e profundas, obedecendo às austeras determinações de Saturno, que inclina à meditação, ao recolhimento e às altas especulações tanto científicas como metafísicas. Sagitário e Capricórnio, por sua essência e pela influência de seus regentes, são forças poderosas e de fundamental importância para a criatura humana e assim, capricornianos e sagitarianos, embora possuindo naturezas bastante opostas, poderão conviver em grande harmonia, especialmente quando sua união for determinada por um motivo intelectual ou espiritual.

O capricorniano tem uma natureza muito reservada e não se comove com facilidade. Quem necessitar de seus favores terá que pedir auxílio à sua boa estrela para ser atendido.

Amor — O sagitariano é sensual e não sabe viver sem amor. Possuindo uma natureza absorvente e exclusivista, costuma exigir toda a dedicação e toda a atenção da criatura amada. O capricorniano, ao contrário, embora afetivo, leal e sincero, tem um temperamento reservado, é inimigo de demonstrar suas emoções e não costuma exagerar seus carinhos. É, porém, extremamente ciumento e se o sagitariano quiser preservar sua felicidade doméstica deverá evitar muita intimidade com os elementos do outro sexo ou terá uma vida perturbada por brigas e discussões.

As uniões mais felizes acontecerão quando os nativos do Centauro se unirem a capricornianos nascidos entre 31 de dezembro e 9 de janeiro, período que recebe a vibração participante de Vênus, que se harmoniza bem com Júpiter. As menores possibilidades de harmonia se observarão quando os nativos da Cabra Marinha tiverem sua data natal entre 22 e 30 de dezembro.

Amizade — Como em quase todas as relações estabelecidas com a maioria dos tipos zodiacais, é na amizade que os sagitarianos encontram maior possibilidade de convivência feliz com os capricornianos; essas uniões fraternas serão ainda mais favoráveis quando tiverem um motivo intelectual ou artístico como elemento de ligação.

Um amigo de Capricórnio poderá ter grande influência nas finanças do sagitariano; essa influência poderá ser benéfica ou maléfica e o nativo do Centauro deverá ter cautela na escolha de seus companheiros nascidos sob as estrelas de Capricórnio, se não quiser sofrer graves prejuízos.

As amizades com elementos inferiores, nascidos entre 31 de dezembro e 9 de janeiro, poderão ter efeito muito desfavorável no destino dos sagitarianos; os capricornianos desse decanato da Cabra Marinha, além de egoístas e utilitários, são sensuais e depravados.

Negócios — Todo nativo de Capricórnio é ambicioso, trabalhador, ativo e prático; realizar-se na vida é sua ambição principal e o amor ao dinheiro é seu segundo motivo e é difícil o capricorniano que não goste de unir o útil ao agradável e que não procure extrair lucros de todas as suas atividades. Associando-se a ele o sagitariano poderá ter certeza de êxito, principalmente quando ambos se dedicarem a uma atividade que seja favorecida, ao mesmo tempo, por Júpiter e Saturno.

Em qualquer negócio feito com um nativo de Capricórnio o sagitariano poderá ter muito lucro; contudo, deverá ter a precaução de não se inimizar com seu sócio; o capricorniano, que é amigo dedicado e sincero, costuma ser um dos mais perigosos e rancorosos inimigos do zodíaco, superando em violência os arianos e escorpianos. Deve, também, evitar que qualquer questão seja levada aos tribunais, pois o resultado quase sempre beneficiará o nativo da Cabra Marinha.

SAGITÁRIO–AQUÁRIO. Como se sabe, Sagitário é o signo que constrói toda a complicada e delicada estrutura social e política sobre a qual se apóiam os alicerces da comunidade; sua ação é prudente e sob seu influxo a evolução se processa suavemente, sem choques brutais ou comoções intensas, que modificam mas também convulsionam e desorganizam.

Aquário é um signo cujas induções diferem das do Centauro; ele provoca as revoluções violentas e destrói as fronteiras existentes entre as classes, eliminando as diferenças sociais e raciais. Abala todos os códigos e leis estabelecidos por Sagitário e espalha a rebelião e a inquietude entre a massa, antes ordeira e pacífica. Cumpre notar, porém, que cosmicamente ambos se equilibram, pois assim como Sagitário contém o impulso rebelde de Aquário, que poderia conduzir à desorganização total, o Aguadeiro traz um influxo renovador à estrutura construída pelo Centauro, impedindo que ela se cristalize e deixe de evoluir.

Aquário é um signo de ar e Urano, seu regente, tem profunda afinidade com Sagitário, em cujos limites encontra campo cósmico favorável às suas vibrações avançadas e revolucionárias. Sagitarianos e aquarianos, juntos, podem realizar obras de extraordinário alcance; unindo-se em termos negativos, podem causar danos irreparáveis, a si e aos seus semelhantes.

O aquariano é pouco comunicativo e não se deixa comover facilmente; é, porém, bastante generoso e não costuma negar seu auxílio, desde que considere o pedido justo.

Amor — Os sagitarianos são amorosos, dedicados, ciumentos e absorventes, o mesmo acontecendo com os aquarianos, que quando se dedicam a alguém costumam se entregar de corpo e alma, embora exijam retribuição equivalente. As uniões entre tipos positivos do Centauro e do Aguadeiro poderão ser muito felizes, proporcionando perfeita comunhão material e espiritual; quando, porém, o sagitariano unir seu destino a um aquariano negativo o casamento sempre terminará em separação, amigável ou judicial. No último caso, o sagitariano poderá ser prejudicado em seus direitos, especialmente se o seu cônjuge tiver nascido entre 30 de janeiro e 8 de fevereiro.

As uniões mais harmoniosas poderão acontecer quando o nativo do Centauro unir seu destino a alguém nascido entre 9 a 19 de fevereiro; esse decanato de Aquário recebe a influência participante de Vênus, que torna seus nativos muito mais gentis e carinhosos que os demais aquarianos.

Amizade — Também no encontro Sagitário–Aquário a amizade é a forma de associação que oferece prognósticos mais favoráveis aos sagitarianos. Como ambos os signos dão muita rebeldia e independência, seus nativos não gostam de se amarrar a compromissos e convivem melhor quando são unidos apenas pela afinidade espiritual ou por um interesse intelectual ou artístico.

O amigo nascido sob as estrelas de Aquário sempre trará muita alegria e prazer ao sagitariano, dando-lhe o mesmo calor e o mesmo afeto que lhe daria um irmão. É preciso, porém, que o aquariano seja uma criatura positiva, pois os nativos do Aguadeiro, quando inferiores, são cruéis e destrutivos. Deve o sagitariano evitar, principalmente, os elementos negativos nascidos entre 21 e 29 de janeiro; esses aquarianos recebem a influência pura de Urano, e quando são inferiores, exercem uma ação mental negativa, intensamente maléfica.

Negócios — Os sagitarianos, como já sabemos, embora donos de uma brilhante inteligência, não têm muita habilidade para os negócios, o mesmo acontecendo com os aquarianos, que com toda a sua poderosa força mental, raramente saem financeiramente vitoriosos de suas empresas. Para que as associações comerciais entre estes dois tipos astrológicos sejam coroadas de êxito, ambos deverão ser ambiciosos e práticos pois de nada lhes adiantará o idealismo quando tiverem de lutar para ganhar dinheiro.

As associações mais favoráveis, em relação aos negócios, acontecerão quando os sagitarianos se unirem a alguém nascido entre 30 de janeiro e 8 de fevereiro; esse decanato de Aquário recebe a influência participante de Mercúrio, que torna seus nativos muito práticos e utilitários. Será necessário, porém, cuidar bem de todos os papéis e documentos, pois Júpiter e Mercúrio costumam se inimizar nesses assuntos.

SAGITÁRIO–PEIXES. O signo de Peixes tem uma vibração de elevada qualidade. Fechando o místico círculo zodiacal, representando a décima segunda etapa de Adam Kadmon, o homem arquetípico; ele é o signo da abnegação, do sacrifício e da fraternidade universal. Quando o homem se integrar na vibração de Peixes o universo será a pátria comum e a humanidade se constituirá numa grande família, onde não existirão diferenças sociais ou raciais. As leis e ordens estabelecidas em Sagitário não mais serão necessárias pois não existirão fronteiras a defender ou direitos de classes que tenham de ser preservados; todos conviverão harmoniosamente, terão os mesmos privilégios e serão motivados pelo mesmo ideal de paz e fraternidade.

Ainda há, todavia, um longo caminho a percorrer antes que as irradiações de Peixes possam ser vitoriosas; enquanto isso não acontecer ele age como um signo de elevação espiritual e como elemento de complementação, especialmente para Sagitário e Aquário, que são signos que preparam os homens para receber suas superiores vibrações.

Sendo um signo de água, Peixes opõe-se ao Centauro; como, porém, o místico Netuno, seu regente, tem grande afinidade com Júpiter, piscianos e sagitarianos poderão conviver harmoniosamente e o nativo de Peixes complementará maravilhosamente o nativo de Sagitário, em todas as suas realizações.

O pisciano dificilmente nega um favor. Tanto está pronto para fazer companhia nos momentos difíceis como nas horas de prazer e quem necessitar de sua ajuda terá apenas que pedi-la.

Amor — O destino do sagitariano sempre oferece o risco de uma separação ou de um matrimônio infeliz, no qual o casal se obrigue a uma convivência parcial, apenas em consideração aos filhos ou obedecendo a uma razão social, financeira ou religiosa. Os piscianos sofrem a mesma ameaça e os sagitarianos só viverão harmoniosamente quando se unirem a um tipo positivo; até mesmo nesse caso deverão agir com muito tato porque, em virtude da natureza ciumenta do nativo de Peixes, sua união poderá ser arruinada por motivos bem triviais.

Em certos casos, a desarmonia poderá ser causada por intrigas ou pela ação traiçoeira de falsos amigos e noutros casos ela poderá ser provocada pela interferência de pessoas da família; para ser feliz e preservar sua união o sagitariano deverá evitar que parentes ou amigos venham a se imiscuir em sua vida íntima.

Amizade — As amizades estabelecidas entre nativos de Sagitário e de Peixes serão agradáveis, sinceras e duradoras. No pisciano, o sagitariano sempre encontrará um companheiro pronto para todos os momentos, fáceis ou difíceis, e disposto a todas as aventuras. Não raro, as relações fraternas entre estes dois tipos astrológicos poderão conduzir a pesquisas psíquicas, com finalidades científica ou puramente místicas, que trarão grande benefício espiritual ao inquieto sagitariano.

As relações serão menos harmoniosas quando o pisciano tiver nascido entre 11 e 20 de março, decanato que recebe a influência participante de Marte, que é bastante hostil a Júpiter. As amizades com piscianos inferiores devem ser evitadas porque os raios negativos de Peixes podem conduzir ao vício da bebida, à anarquia, à desordem e ao uso de tóxicos.

Negócios — O pisciano é uma criatura surpreendente, que tanto pode demonstrar a natureza mais idealista e romântica como pode se revelar como uma criatura prática, combativa e sagaz. Associando-se a um tipo que possua estas qualidades mencionadas em último lugar, o sagitariano poderá vencer suas tendências também idealistas e obter fortuna e sucesso; unindo-se ao tipo sonhador, forçosamente fracassará em seus empreendimentos.

Sempre que a associação, mesmo com fins lucrativos, tenha um motivo artístico, intelectual ou científico, as probabilidades de êxito serão muito maiores, especialmente quando a atividade escolhida for favorecida tanto por Sagitário como por Peixes. Os signos de água podem determinar extrema popularidade e podem oferecer fortuna rápida; sabendo escolher seu associado, o sagitariano alcançará riqueza e prestígio em pouco tempo e terá satisfação em seus empreendimentos.

JÚPITER, O REGENTE DE SAGITÁRIO

Júpiter, o gigante do nosso sistema solar, com um volume 1 300 vezes superior ao da Terra e com um ano equivalente a onze anos e oitenta e seis dias terrestres, é o planeta que desperta, no homem, aspirações superiores, dando-lhe o poder de atingir, através da inteligência e da cultura, a tão ambicionada elevação espiritual. O nativo de Sagitário, recebendo a poderosa vibração deste colossal corpo celeste, torna-se dono de privilégios inestimáveis e também assume um compromisso cósmico muito importante: o de ajudar seus semelhantes a evoluir e progredir, tanto material como espiritualmente.

Júpiter domina a organização, a lei, a ordem, o direito e o dever. É ele quem cria a estrutura social na qual as criaturas se situam, de acordo com seu nascimento; mas também é ele quem lhes dá a força necessária para fugir aos limites impostos por essa mesma estrutura e alçar-se a camadas superiores. É ele quem cria uma hierarquia intelectual e também dá a potência mental exigida para que qualquer homem, mesmo o mais humilde, como o sagitariano Mark Twain, possa aspirar ao respeito e à admiração de seus semelhantes. Coloca, portanto, todas as criaturas, sagitarianas ou não, dentro de determinadas órbitas, mas também lhes facilita o caminho para a libertação e para o sucesso.

Por ser um planeta cuja função é assim tão humana e fraterna, Júpiter faz com que os sagitarianos sintam a necessidade constante de companhia. O nativo do Centauro não sabe fazer nada sozinho, seja trabalhar, guerrear ou saborear um bom almoço. Tem sempre o desejo de que alguém compartilhe de suas vitórias e derrotas e necessita de um agente capaz de complementar seu trabalho. Sabe mandar mas não gosta de fazer e embora seja um excelente administrador, raramente é um obreiro paciente; isso acontece porque a ele parece perdido o tempo que é gasto em tarefas que exigem esforço e tempo, enquanto tanta coisa existe para ser desenvolvida e aperfeiçoada e a atividade da mente é tão fascinante. Assim, todo sagitariano, embora raramente seja um criador, é sempre aquele que, melhor do que ninguém, sabe aproveitar todas as coisas criadas pelos outros e descobrir o agente capaz de fazer com que elas sejam aproveitadas ao máximo.

As atividades governadas por Júpiter são políticas, administrativas, religiosas, didáticas, jurídicas e coordenativas e são as mesmas dominadas por Sagitário. Quando o destino der ao sagitariano uma condição humilde, assim mesmo ele terá, entre seus companheiros de classe e de trabalho, uma função superior, uma aura de chefe e uma posição de destaque. Quando os aspectos planetários de seu tema astrológico forem propícios, ele poderá se elevar às mais altas situações, mesmo quando tenha nascido em berço humilde. Quando sua vontade for positiva, nenhum objetivo, por mais audacioso que seja, deixará de estar ao seu alcance. Sendo considerado como o grande benéfico do zodíaco, Júpiter parece dar, efetivamente, uma brilhante estrela a todos os seus nativos, que só terão que desenvolver suas qualidades naturais e aproveitar bem as oportunidades que surgirem em seu caminho para realizar todos os seus desejos.

Não são, porém, sempre positivas as qualidades dos protegidos de Júpiter. Quando eles possuem uma natureza inferior, os raios deste planeta são negativos e conduzem ao oposto de suas virtudes; assim, a generosidade é substituída pela tolerância, o amor à vida pela sensualidade e pela exagerada inclinação para os prazeres materiais, a altivez pelo orgulho, o instinto protetor pela prepotência, a autoconsciência pela vaidade e o comodismo pela preguiça.

É por influência de Júpiter que os sagitarianos, não raro, se inclinam para a carreira religiosa. Note-se que falamos de carreira e não de vida, pois neles esse impulso é mais determinado pela ambição e pelo atrativo exercido pelo esplendor do culto do que propriamente pela fé. Naturalmente, a fé está sempre presente no coração de todo nativo do Centauro, mesmo que ele não tenha conhecimento disso; o amor à vida e aos seus semelhantes é quase como uma prece diária que ele oferece ao Criador. Seu carinho pelas crianças e velhos e seu cuidado com as plantas e animais também denotam o respeito a todas as coisas criadas e, conseqüentemente, à força divina que as criou. Quando, porém, ingressa numa ordem religiosa sempre o faz porque o dogma e o ritual são atrativos fascinantes para a sua natureza inclinada à pompa, à majestade, à ordem e à hierarquia.

Temos, portanto, no sagitariano, a mescla das qualidades do Centauro e de Júpiter, que, aliás, são muito semelhantes, existindo apenas, no primeiro, uma manifestação intelectual mais intensa e no segundo uma força espiritual mais poderosa. O sagitariano seja qual for a classe social ou o nível intelectual a que pertença, movido pelas induções de seu planeta e signo, será sempre procurado por todos aqueles que necessitam de proteção, conselho ou conforto moral, porque todos reconhecerão nele uma força positiva. Movendo-se nas altas esferas intelectuais, políticas, artísticas ou religiosas ou trabalhando em funções mais humildes, em lojas, escritórios, departamentos públicos, policiais, administrativos ou jurídicos, em estabelecimentos de ensino ou em organizações sociais, públicas ou particulares, ele será sempre um elemento de fundamental importância na vida de seus semelhantes.

Os sagitarianos nascidos entre 22 e 30 de novembro, que recebem a influência pura de Júpiter, são os que têm, com maior intensidade, suas qualidades e virtudes. Os que tiverem sua data natal entre 1º e 10 de dezembro têm as irradiações jupterianas mescladas às dinâmicas e freqüentemente violentas vibrações de Marte, que lhes dão uma natureza mais impulsiva e enérgica, mas que amortecem um pouco a generosa e desprendida ação de Júpiter. Já aqueles que têm sua data natal entre 11 e 21 de dezembro e que são também protegidos pelo Sol possuem as qualidades joviais beneficamente acrescidas das elevadas virtudes solares. Todos os sagitarianos, nascidos em qualquer decanato, podem refletir os vícios e debilidades sugeridos pelos raios negativos de seu planeta e de seu signo e, assim, poderão queimar-se no ígneo elemento que compõe Sagitário e receber a punição imposta por Júpiter, que sabe ser um benéfico protetor mas também é um severo juiz.

Simbolismo das cores

A cor fundamental de Júpiter é o azul em todos os tons, menos os sombrios ou profundos. Cosmicamente é a cor que representa a Verdade Divina e, na Teologia Cristã, tanto está associada à figura de Jesus Cristo como, ligada ao vermelho, representa também o Espírito Santo. É o símbolo da Eternidade divina e da Imortalidade humana e, segundo as antigas tradições, encarna a lealdade, a castidade, a fidelidade e a honra. Suas vibrações, que favorecem todos os sagitarianos, acalmam e tonificam os nervos, desenvolvem os sentidos interiores e são propícias à meditação, ajudando a alcançar o conhecimento superior.

O ciclâmen, o violeta e também o roxo são tonalidades pertencentes a Júpiter e, por conseguinte, benéficas para os sagitarianos. É aconselhável, porém, que sejam usadas com discrição pois estão ligadas ao sacrifício e ao martírio e só devem ser amplamente utilizadas quando se deseja alcançar um estado mental propício à meditação e à purificação. Mescla de vermelho e azul, o roxo simboliza as virtudes espirituais, a fé triunfante e o Amor divino. Na teologia cristã está ligado ao martírio de Cristo, razão pela qual, na Semana Santa, as imagens e altares religiosos se apresentam cobertos com panos dessa cor.

Para os sagitarianos que nascem entre 1º e 10 de dezembro, segundo decanato do Centauro, e que recebem as vibrações de Marte, o vermelho também é cor muito favorável, assim como o púrpura e o carmesim. Estas são cores vitalizantes e simbolizam o Fogo, o Espírito e o Amor divino; nas roupas sacerdotais, tanto da antiguidade como da atualidade, o vermelho é bastante usado, juntamente com o púrpura, o violeta e o roxo, que provêm de mesclas suas com a azul, que é a cor principal de Júpiter. Conforme nos conta o Êxodo, Deus disse a Moisés que, juntamente com o linho branco, deviam ser escolhidos estofos azuis, púrpuras e carmesins para ornamentar o Tabernáculo e fazer as vestes rituais de Aarão e seus filhos.

O vermelho, apesar de suas excelentes qualidades, possui raios negativos muito violentos. No Apocalipse de São João lemos que a Besta está vestida com roupagens dessa cor e na Igreja Católica o anjo mau, Satanás, sempre é representado vestido de vermelho. Essa cor deve ser usada com cautela mas não deve ser evitada pelos sagitarianos, pois tem grande efeito energético, recuperativo e reconstrutivo, exercendo forte influência sobre o corpo humano. Como é uma cor excitante, é aconselhada para os tímidos e fracos pois dá força, coragem e audácia. Pode ser utilizada, discretamente, mas com sucesso, por todos os nativos do Centauro, com exceção dos que nascem entre 22 e 30 de novembro; pertencendo a Marte, que hostiliza Júpiter, que domina sozinho sobre esse decanato, ela poderá dinamizar excessivamente a parte grosseira dos sentimentos e emoções.

Para os sagitarianos nascidos entre 11 e 21 de dezembro, além do uso discreto do vermelho e da utilização ampla do azul, o amarelo também é uma cor muito indicada, pois pertence ao Sol, que é o co-regente desse decanato. Simboliza a iniciação nos mistérios divinos e sua influência é mística e espiritual. Como o vermelho, o amarelo, tem extraordinário poder recuperativo e regenerador, bem como a faculdade de provocar a harmonização e o equilíbrio das células nervosas. O verde, mescla de amarelo e azul, também poderá ser usado com excelentes resultados, para a saúde e para os nervos.

A cor laranja, resultado da mistura do amarelo e do vermelho, também é propícia para todos os sagitarianos, porque nela o vermelho entra em pequena quantidade, dominando o amarelo, que favorece todos os nativos de Sagitário, seja qual for seu decanato de nascimento. Este tom laranja é tão usado hoje na igreja cristã como o foi na antiguidade, não só pelos seguidores dos apóstolos de Jesus como pelos sacerdotes pagãos, especialmente os de Apolo, o deus Sol. Quando o gasto de energia mental é maior do que o da energia física o laranja produz o equilíbrio interior, sendo muito útil para os que executam trabalhos intelectuais. Além de intensificar a vitalidade e compensar o desgaste das células nervosas, esta cor ainda traz firmeza, energia e decisão.

A magia das pedras e dos metais

São várias as pedras preciosas que podem favorecer os sagitarianos. Entre elas estão, em primeiro lugar, a ametista, a turquesa e a safira e em seguida a esmeralda, o carbúnculo, o berilo e a granada. Qualquer uma delas poderá ser escolhida pelos sagitarianos que desejarem atrair os benéficos raios do seu signo e do seu planeta regente, Júpiter.

A turquesa é uma variedade de fosfato de albumina e sua influência traz calma e serenidade, seja ela de um límpido azul ou de um tom esverdeado. A ametista é uma variedade de quartzo de cor violeta, que pode apresentar desde o lilás claro até o roxo profundo e, segundo a tradição, proporciona bondade, fortuna e paz interior. A safira é uma variedade de coríndon, devendo os sagitarianos sempre escolher a de tom azul e não a branca; segundo os ensinamentos mágicos, a safira preserva a pureza e a inocência de quem a usa.

Os nativos do segundo decanato do Centauro, que vai de 1º a 10 de dezembro, poderão ainda usar o rubi como pedra talismã, além das acima mencionadas. Já os que têm sua data natal entre 11 e 21 de dezembro, se o desejarem, poderão dar preferência ao nobre diamante.

O estanho é o metal de Júpiter, favorecendo também Sagitário. Não é um metal de grande beleza, mas atrai vibrações favoráveis, devendo o sagitariano guardar um pequenino bloco, em sua mesa de trabalho ou em sua casa, como talismã. Para uso pessoal o nativo do Centauro deverá dar preferência ao ouro, que é o metal que mais sorte lhe trará

A mística das plantas e dos perfumes

As resinas pertencem quase todas a Marte, no entanto, a mirra é essencialmente de Júpiter, sendo muito benéfica para os sagitarianos. Também pertencem a esse planeta e a Sagitário a malva, o jasmim, o cravo e a sempre-viva, além do anis, da begônia e do álamo. Como o Sol tem forte afinidade com o signo do Centauro e com Júpiter, a oliveira, a romãzeira e o loureiro, que lhe pertencem e são símbolos de Paz, Poder e Glória, também trarão resultados muito favoráveis para os sagitarianos, que poderão escolher uma delas e tê-las em seu jardim ou em seu quintal.

Os perfumes químicos feitos atualmente podem ser usados por qualquer tipo astrológico, sem nenhum efeito benéfico ou maléfico. Quando, porém, alguém quiser atrair as vibrações de seu signo e planeta deverá usar perfumes feitos com essências puras das flores que lhe são propícias.

As folhas secas e as pétalas das flores favoráveis ao sagitariano podem ser usadas para defumar e perfumar o ambiente onde ele vive ou trabalha. Isto deverá ser feito, naturalmente, sem nenhuma finalidade religiosa, visando apenas estabelecer uma irradiação positiva que possa trazer paz e favorecer os negócios e a saúde. As pétalas e folhas secas devem ser misturadas, também, a um pouco de mirra, para que seu benéfico efeito seja total.

JÚPITER E OS SETE DIAS DA SEMANA

Segunda-Feira

A Lua, regente do signo de Câncer, é que rege a segunda-feira. Câncer é um signo de água e este dia, portanto, pertence ao móvel e psíquico elemento responsável pelas fantasias, sonhos e crendices e que favorece as aparições e as comunicações com os nossos ancestrais. Sendo Câncer um signo de natureza passiva e a Lua um elemento também de energia passiva, ou feminina, a segunda-feira é um dia onde todos sentem sua vitalidade diminuída; como diz o povo, é "dia de preguiça".

Acontece que este dia domina coisas muitas importantes, que nada têm de preguiçosas, relacionando-se com a alimentação e a diversão do povo. Circos, parques de diversões, teatros, cinemas, feiras, mercados, portos de mar, alfândegas, entrepostos de pesca, etc., são locais que estão sob a vibração lunar. Como Júpiter tem bastante afinidade com a Lua, os sagitarianos poderão, neste dia, tratar tanto dos assuntos influenciados por seu planeta como, também, daqueles que estão sob vibração lunar. Para os sagitarianos nascidos entre 1º e 10 de dezembro, a segunda-feira é menos favorável, pois eles recebem também a vibração de Marte, que é muito hostil à Lua.

Terça-Feira

A terça-feira está sob a vibração do turbulento e agressivo Marte. Como este planeta não se harmoniza muito com o exigente Júpiter, os sagitarianos devem agir com cuidado neste dia, em que as irradiações sempre são muito violentas. Os mais favorecidos nas terças-feiras são os nativos do segundo decanato do Centauro, que vai de 1º a 10 de dezembro, período que recebe a proteção de Marte.

As consultas a médicos, cirurgiões, dentistas, oftalmologistas, etc., devem ser feitas na terça-feira porque Marte, além do seu grande poder vitalizante, também age beneficamente sobre todas as coisas ligadas à saúde e ao corpo físico. É, também, dia propício para toda sorte de operações ou intervenções cirúrgicas, assim como para o início de qualquer tratamento de saúde.

Marte rege a indústria, o ferro, o fogo, a mecânica, os ruídos, a violência, a dor, o sangue e a morte. A terça-feira é benéfica para tratar de negócios ligados a hospitais, prisões, fábricas, usinas, matadouros, campos de esporte, ferrovias, indústrias e, também, quartéis e tribunais, pois Marte influencia os militares, os homens de governo, os juízes e os grandes chefes de empresa.

Quarta-Feira

A quarta-feira está sob a regência de Mercúrio e de sua oitava superior, o planeta Urano. Júpiter, embora não hostilize violentamente o ágil Mercúrio, não sente muita afinidade por ele e se antagoniza bastante com Urano; a quarta-feira, portanto, não favorece muito os sagitarianos, que neste dia devem cuidar apenas dos assuntos regidos por Mercúrio e Urano, deixando as atividades jupterianas para melhor momento.

Mercúrio é o senhor da palavra, escrita ou falada e protege as comunicações, os documentos, cartas, livros, publicações e escritos de toda espécie. Rege, ainda, o jornalismo, a publicidade, as transações comerciais e as atividades artísticas, principalmente as exercidas nos circos ou teatros. A quarta-feira também é propícia para as viagens, pois Mercúrio governa todos os meios de locomoção, com exceção dos aéreos, que estão sob a influência de Urano.

As vibrações uranianas governam a eletrônica, o rádio, a televisão, a cibernética, o automobilismo, a astronáutica, a aeronáutica e todas as atividades onde intervenham a eletricidade, o movimento mecânico, as ondas de rádio e todas as formas de vibração mental, especialmente a telepatia.

Quinta-Feira

Júpiter, o benevolente deus de todos os deuses, é quem domina as quintas-feiras. Este é um dos dias mais harmoniosos de toda a semana, somente sendo excedido, em vibrações alegres, generosas e fraternas, pelo domingo, que tem a regência do Sol. Embora Júpiter seja hostil a vários planetas e, por conseguinte, hostil aos signos por eles dominados, a irradiação das quintas-feiras é de tal forma benéfica e pacífica que quase todos os tipos astrológicos podem considerá-las, se não como dia de sorte, pelo menos como dia neutro em que, com um pouco de cautela, podem ser tratados os assuntos ligados a todos os signos e planetas.

Júpiter favorece tudo o que diz respeito às relações humanas e todas as aproximações entre as criaturas têm sua proteção, desde que essa aproximação não seja com finalidades comerciais. Assim, ele protege os namoros, noivados e casamentos. As amizades feitas neste dia geralmente trazem muito prazer e são, quase sempre, muito úteis. As vibrações jovianas estão sempre ligadas à estrutura social, política e religiosa de todas as comunidades e também beneficiam as conferências, comícios políticos, solenidades religiosas, reuniões festivas, de caráter beneficente ou puramente social, bailes, festas, concertos, etc.

Sob a proteção de Júpiter pode-se solicitar proteção, pedir favores, empregos ou empréstimos e sob sua regência estão todos os assuntos ligados ao Direito e ao Poder. No dia de hoje, pode-se tratar de assuntos relacionados com personalidades do governo, juízes, advogados, tribunais, etc., ou ainda daqueles que dependem do Clero, de qualquer organização religiosa, política ou militar. Também sob sua égide estão os professores, filósofos, cientistas, sociólogos, grandes chefes de empresa e homens de influência política, social, militar, religiosa ou financeira, podendo-se procurá-los para tratar de qualquer assunto que não esteja diretamente ligado a compra ou venda de qualquer coisa.

A quinta-feira é um dia excepcionalmente favorável para os nativos de Sagitário, que devem aproveitá-la para realizar todos os negócios importantes de sua vida. Estas vibrações favorecem um pouco menos os nativos do segundo decanato de Sagitário, que vai de 1º a 10 de dezembro; estes sagitarianos recebem a influência participante de Marte, que não se harmoniza muito com as vibrações jupiterianas.

Sexta-Feira

A sexta-feira tem a regência dividida entre Vênus e sua oitava superior, Netuno. Os raios venusianos e netunianos são muito benéficos para os que nascem em Sagitário, pois Júpiter se harmoniza bem com estes dois planetas, que também têm vibrações generosas e elevadas. Os sagitarianos menos favorecidos nas sextas-feiras são os nascidos entre 1º e 10 de dezembro, que recebem a influência participante de Marte, cujas irradiações são antagônicas a Netuno.

Vênus rege a beleza e a conservação do corpo. A sexta-feira é favorável para a compra de roupas e objetos de adorno, para cuidar dos cabelos ou tratar de qualquer detalhe relacionado com a beleza e a elegância, masculina ou feminina. É dia propício às festas, reuniões sociais e atividades artísticas. Protege, também, os namoros, noivados e as artes, interpretativas ou criadoras. Os presentes dados ou recebidos neste dia são motivo de muita alegria, sejam eles flores, bombons, objetos de adorno ou de decoração, livros, roupas, etc.

Netuno rege o psiquismo e o cerebelo. Rege, também, o sistema nervoso vegetativo, podendo provocar neuroses e psicoses. Sob sua influência estão todas as obras de assistência social, públicas ou particulares. Exerce, ainda, especial domínio sobre asilos, hospitais, orfanatos e casas de saúde, assim como sobre organizações ocultistas, espiritualistas ou religiosas. Para atrair os benéficos raios netunianos é preciso agir com generosidade e bondade, pois Netuno ainda tem, sob suas vibrações, a pobreza, a doença e a miséria, não se devendo, nas sextas-feiras, e naturalmente em dia algum, negar uma ajuda material ou um sorriso fraterno a um desfavorecido ou a um doente.

Sábado

O frio e constritor Saturno, filho do Céu e da Terra, não se harmoniza com quase nenhum dos seus irmãos planetários, com exceção de Mercúrio e Urano, os planetas da inteligência. Júpiter, não tem afinidade com os raios saturninos, e os sagitarianos, neste dia, devem evitar as atividades dominadas por seu planeta e signo, os excessos no comer, no beber ou em qualquer ação material e só tratar dos assuntos favorecidos por Saturno.

As irradiações saturninas beneficiam os lugares sombrios ou fechados, tais como cemitérios, minas, poços, escavações e laboratórios ou os locais de punição e sofrimentos, recolhimento ou confinação, como cárceres, hospitais, claustros, conventos, hospitais de isolamento, etc. A lepra, as feridas e chagas, o eczema, a sarna e todos os males da pele lhe pertencem e o sábado é bom dia para iniciar seu tratamento.

Saturno também rege a arquitetura severa e a construção de edifícios para fins religiosos, punitivos ou de tratamento, como igrejas, conventos, claustros, tribunais, orfanatos, penitenciárias, asilos, casas de saúde, etc. A ele também estão ligados os estudos profundos, a matemática, a astronomia, a filosofia e também as ciências herméticas. Como filho do Céu e da Terra, ele também é o regente dos bens materiais ligados à terra: casas, terrenos, propriedades na cidade ou no campo, sendo o sábado o dia favorável para a compra e a venda dos mesmos.

Domingo

O domingo favorece bastante os sagitarianos, pois o Sol, que é o regente deste dia, sempre se harmoniza muito bem com Júpiter. Os sagitarianos nascidos entre 11 e 21 de dezembro têm, no domingo, um dia bastante benéfico, pois seu decanato de nascimento também recebe a irradiação participante do Sol.

O Sol é o planeta da luz, do riso, da fortuna, da beleza e do prazer e sob sua influência está tudo o que é belo, festivo, extravagante, confortável e opulento. No domingo se pode pedir favores a pessoas altamente colocadas, solicitar empréstimos ou tratar de qualquer problema financeiro. Pode-se, também, com certeza de êxito, pedir proteção ou emprego a altos elementos da política, do clero ou das finanças. É um dia que inclina à bondade, à generosidade e à fraternidade, sendo, portanto, benéfico para visitas, festas, reuniões sociais, conferências, noivados, namoros e casamentos; favorece, ainda, a arte e todas as atividades a ela ligadas, bem como as jóias e pedras preciosas e as antiguidades de alto valor, dominando sobre a compra e venda e a realização de exposições, mostras, concertos, etc.

MITOLOGIA

Sagitário

O centauro Quíron é a mais sábia de todas as estranhas criaturas que tinham a sua forma e imagem mitológica associadas ao signo de Sagitário. Quíron teve uma origem diferente da de seus irmãos, que eram filhos de Ixion e de Nefele, a Nuvem, enquanto ele proveio do amor de Saturno pela ninfa Filira. Para poder aproximar-se da formosa ninfa, por quem estava apaixonado, Saturno transformou-se num cavalo; Filira deixou-se seduzir, mas, mais tarde, ao dar à luz ao estranho ser metade homem metade cavalo, ficou tão horrorizada que pediu aos deuses que lhe tirassem a razão para que não pudesse recordar tão terrível acontecimento; os deuses, compadecidos, transformaram-na em tília.

Quando cresceu, Quíron passou a viver nas montanhas e nas florestas, onde não só se tornou mestre na arte da caça como, também, aprendeu todos os segredos da botânica, da astronomia e da medicina. Por seus méritos como caçador tornou-se um dos companheiros favoritos de Diana, com quem ousava competir livremente. Por sua sabedoria, era considerado e respeitado por todos, deuses e semideuses, que vinham pedir seu conselho e ouvir suas lições. Também, ao que parece, era um famoso astrólogo, pois segundo a lenda, sabia predizer todos os movimentos dos corpos celestes e, por meio deles, adivinhava todos os acontecimentos.

Sua escola, ou melhor, a gruta onde vivia, junto ao Monte Pelion, na Tessalia, tornou-se o ponto de reunião de todos os heróis da Grécia. Lá compareciam, para receber seus ensinamentos, Esculápio, Teseu, Hércules, Ulisses, Castor e Polux, Nestor, Aquiles e mais uma infinidade de figuras épicas da antiga Grécia. Por meio de seus grandes conhecimentos, auxiliou em várias empresas heróicas, inclusive preparando o calendário que controlou a viagem dos Argonautas, quando estes partiram para vingar a morte de Frixo e recuperar o velocino de ouro.

Seu discípulo predileto foi Esculápio, cujo nome grego era Asclépius e que era filho de Apolo e da ninfa Coronis. Esculápio, que era quase tão belo quanto o deus, seu pai, depois de viver alguns anos com sua ama, Trigona, que cuidou dele com extremo carinho, foi para a escola de Quíron, para ser educado pelo sábio Centauro. Tornou-se rapidamente um mestre no manejo das plantas e no conhecimento da arte de curar, o que fez com que fosse considerado como o deus da medicina e da cirurgia. Seus conhecimentos eram tão prodigiosos que suas façanhas ombreavam com as dos deuses, pois podia até mesmo ressuscitar os mortos. Certa vez, tendo feito reviver Hipólito, sem o consentimento dos deuses, foi fulminado por Júpiter, tendo morte instantânea. Apolo, seu pai, louco de dor, matou os Ciclopes que haviam forjado o raio com que Júpiter aniquilou Esculápio e por isso foi banido do céu e condenado a vagar sem rumo.

A morte de Quíron foi devida a um lamentável engano. Os Centauros bondosos como ele e como Folos, o amigo de Hércules, eram muito raros, sendo quase todos brutos, violentos e selvagens. Certa vez, tendo sido convidados para a festa de casamento de Pirito, rei dos Lapitos, eles quiseram violentar a noiva e todas as mulheres presentes; diante de tão grande infâmia, declarou-se tremenda guerra contra eles, sendo chefe do ataque o invencível Hércules. Temendo a força do herói, os Centauros foram apelar a Quíron para que servisse de intermediário entre eles e Hércules, a fim de que a paz pudesse ser negociada. Enquanto Quíron se achava entre os centauros, ouvindo sua petição, Hércules atirou contra eles suas flechas e uma delas, embebida no sangue venenoso da hidra de Lerna, foi ferir seu mestre.

Hércules, desesperado, tentou tratar de Quíron, utilizando toda a ciência médica que o Centauro lhe ensinara, mas tudo foi em vão. Quíron, sendo filho de Saturno e tendo sangue divino, não podia morrer, mas as dores que o torturavam eram tão atrozes que os deuses resolveram libertá-lo daquela tortura; Júpiter transferiu sua imortalidade para Prometeu e assim que Quíron pôde morrer colocou-o no céu, na bela constelação de Sagitário.

Júpiter

Júpiter é considerado o pai de todos os deuses e o deus e rei de todos os homens. Ao nascer já estava condenado à morte mas deveu sua vida a uma hábil manobra de Réia, sua mãe; Saturno, seu pai, em virtude do pacto que fizera com seu irmão, Titã, propusera-se a devorar todos os filhos homens mas, na ocasião do nascimento do menino Júpiter, foi enganado por sua esposa que lhe deu uma pedra enfaixada, que ele engoliu pensando ser a criança.

Juntamente com Júpiter, Réia deu à luz uma menina, Juno, que não teve a mesma sorte do irmão e foi devorada por Saturno. O menino, porém, são e salvo, foi entregue a duas ninfas de Creta, Adrastéa e Ida, também chamadas Melissas, que o alimentaram com o leite da cabra Amaltéia e com o dourado mel das abelhas do Monte Ida. Temendo muito pela segurança do filho, Réia recomendou-o aos Curetes, antigos habitantes da Frígia, que mais tarde, por cuidarem muito bem de Júpiter, receberam honras divinas e foram considerados deuses tutelares.

Ao chegar à adolescência, Júpiter procurou aconselhar-se com a deusa Metis, a Prudência. Metis fez com que ele desse a Saturno, sem que este percebesse, uma poderosa beberagem que o fez vomitar todos os filhos que devorara e que eram Vesta, Ceres, Juno, Plutão e Netuno. Juntando-se aos seus dois irmãos, Plutão e Netuno, Júpiter resolveu destronar Saturno e expulsar os terríveis Titãs, que na verdade eram os legítimos herdeiros do trono e podiam colocar obstáculos às suas pretensões de realeza. Chamou em seu auxílio os Ciclopes, irmãos de Saturno e dos Titãs, mas criaturas bondosas, que, viviam encerrados nos Infernos, trabalhando nas forjas. Concordando em ajudá-lo, os Ciclopes lhe deram o trovão, o relâmpago e o raio, ofereceram a Plutão o seu poderoso capacete e deram a Netuno o mágico tridente. Os três irmãos, então, lançaram-se contra Saturno, aprisionaram-no, fizeram-no sofrer enormes torturas e depois o expulsaram do Olímpio e do convívio dos deuses. Saturno refugiou-se no Lácio, onde foi acolhido pelo rei Jano, a quem, por sua hospitalidade, concedeu poderes divinos.

Os três irmãos, vitoriosos, dividiram o mundo entre si; Netuno ficou com os oceanos, Plutão escolheu os Infernos e Júpiter ficou com o céu. Começou, então, seu glorioso reinado, que foi cheio de emocionantes aventuras guerreiras e amorosas. Segundo Hesíodo, Júpiter teve sete esposas, que foram Têmis, sua tia, Mnemósine, a deusa Memória, Eurinome, filha do Oceano e de Tétis, a bela Metis, que não deve ser confundida com a deusa Prudência, Latona, a formosa filha do Titã Coeus e ainda suas duas irmãs, Ceres e Juno. Segundo outras fontes, todas foram seus amores ilegítimos, com exceção de sua irmã gêmea, Juno. Além destas sete, Júpiter ainda amou apaixonadamente várias ninfas e mortais, das quais teve inúmeros filhos.

Seus descendentes mais famosos foram: Minerva, que foi gerada em sua própria cabeça; Baco, que nasceu da princesa tebana Semele; Apolo, o Sol e Diana, a Lua, gêmeos nascidos de Latona; Marte, filho de seu casamento com Juno, que também teve outro filho, Vulcano, e uma filha, a formosa Hebe; Prosérpina, fruto de sua paixão pela sua irmã, Ceres; Mercúrio, nascido do amor que teve por Maia, uma das filhas de Atlas; amou Aurora e dela teve um filho, Lúcifer, que conduzia todos os astros e atrelava os cavalos do carro do Sol; e também pai dos três juízes dos Infernos, Radamanto, Minos e Eaco, os dois primeiros nascidos de sua amada Europa e o terceiro da ninfa Egina; as Náiades, ninfas que presidiam as fontes e os rios eram suas filhas, assim como as Graças, que nasceram de seu romance com Eurinome; Têmis, a Justiça, também lhe deu três filhas lindas, as Horas e três filhas horríveis, as Parcas. Além destes descendentes, ainda teve muitos outros, aos quais amou com ternura especial.

Seu culto era universalmente espalhado. Seus mais famosos oráculos eram os de Dodona, Líbia e Trofono. O touro branco era seu animal sagrado e a águia sua ave favorita. Apesar de seu título de Deus Supremo e de sua importância como divindade principal, foi o mais humano de todos os deuses.

ASTRONOMIA

A constelação de Sagitário

Sagitário é uma bonita constelação mas aqueles que não têm uma intimidade maior com as estrelas não conseguem localizá-la, no céu, com muita facilidade. Ao seu redor existem bilhões de estrelas e justamente nos seus limites se encontram algumas das grandes nuvens estelares da Via-Láctea, o que torna sua identificação mais difícil.

As estrelas do Centauro, como aliás grande parte das estrelas do nosso céu conhecido, foram batizadas por esses excelentes astrônomos, os árabes. Os sóis do Centauro não são muito evidentes mas, assim mesmo, existem seis deles cujos nomes são mais conhecidos e que são sua alfa Rukbat e os astros secundários Arkab, Kaus Media, Kaus Australis, Kaus Borealis e Nunki.

Entre as constelações de Escorpião e Sagitário a eclíptica é cortada por estrelas que pertencem à constelação chamada Ofiucus, ou Serpentarium, que é representada pela figura de um homem segurando uma serpente. Sua alfa é Rasalhague, uma das cinquenta estrelas de maior importância em nosso céu e sua principal atração consiste em ser a única constelação não considerada pela astrologia que atravessa e corta a eclíptica e ocupa maior espaço dentro da faixa zodiacal do que muitas das constelações correspondentes aos doze signos.

Júpiter

Júpiter é o maior de todos os planetas. A Terra, comparada com ele, é um minúsculo corpo celeste, pois nosso gigantesco vizinho tem um volume 1 300 vezes superior ao dela e sua massa é 320 vezes maior. Está a uma distância considerável do Sol, cerca de 483 000 000 milhas, o que equivale a uma distância cinco vezes superior àquela que nos separa do nosso astro central.

Para completar uma revolução sideral completa, ou em termos mais simples, para completar um ano terrestre, levamos 365 dias, mas, um ano jupteriano tem exatamente 4.333 dias, ou seja, onze anos e oitenta e seis dias terrestres. Sua temperatura de superfície é bastante baixa, equivalente a 138° abaixo de zero, o que é compreensível em virtude da distância que o separa do Sol, nossa fonte natural de calor; assim mesmo, é uma temperatura bastante elevada se considerarmos que a noite marciana apresenta 170° abaixo de zero, estando Marte muito mais próximo do Sol.

Com o modesto auxílio de um pequeno telescópio já se pode distinguir bem a interessante superfície joviana, que é riscada por faixas escuras, paralelas, chamadas *cintos*, intercaladas por espaços claros, que são as zonas. Foi no ano de 1630, num mês de maio particularmente favorável para a observação de Júpiter, que dois astrônomos, Nicolas Zucchi e Daniel Bartoli, assinalaram pela primeira vez esses cintos e zonas. Com todo o aperfeiçoamento dos aparelhos modernos, estes cinturões e zonas ainda continuam sendo um mistério, sabendo-se apenas que eles apresentam constantes modificações em suas extremidades, onde manchas negras e pontos brancos aparecem com freqüência. Ocasionalmente um desses cintos desaparece total ou parcialmente, durante meses ou semanas, para depois reaparecer. Em certas ocasiões a visibilidade se torna muito difícil, pois Júpiter, da mesma forma que a Terra, está quase sempre envolto em nuvens que, às vezes, se apresentam extremamente perturbadas, ou tempestuosas.

Sua superfície nublada não raro apresenta visões de esplêndido colorido, particularmente os cintos ao norte e ao sul do equador, que variam periodicamente de um vermelho intenso para o castanho, com tinturas em cinza neutro, em azul ou em laranja intenso. O principal mistério jupteriano é o *ponto vermelho*, a colossal mancha rubra que apresenta 30 000 milhas de extensão e 7 000 ou 8 000 milhas de largura. Este ponto foi observado pela primeira vez em 1857, demonstrando variar intensamente em cor, forma e movimento. Desapareceu durante algum tempo, mas reapareceu em 1919. Esta extraordinária mancha, que parece ser sólida, assemelha-se a uma plataforma e está suspensa, flutuando na atmosfera do planeta. Tem um movimento todo particular, independente do movimento de Júpiter e se move não só paralelamente a ele como, também, para trás e para os lados.

A atmosfera de Júpiter parece possuir hélio e hidrogênio em abundância, assim como amônia e metano. Os cintos escuros, que dão ao planeta sua aparência tão característica, parecem ser feitos de nuvenzinhas de amônia, enquanto seu belo colorido é atribuído a presença de sódium metálico na amônia líquida ou sólida. Supunha-se, antigamente, que Júpiter fosse uma imensa esfera gasosa, mas hoje já se acredita que ele possa ter um miolo denso, sólido e metálico, idêntico ao da Terra, coberto por uma grossa capa de gelo e envolto numa atmosfera de gases altamente comprimidos, com centenas de milhas de espessura. Segundo Herschel, ele está rodeado por uma espessa camada gasosa, no centro da qual se formam correntes cujos ventos atingem cerca de seiscentos quilômetros por hora, ocasionando furacões de incrível violência.

Júpiter tem doze satélites que giram ao seu redor, conservando a mesma face voltada em sua direção, exatamente como faz a nossa Lua. Alguns deles, porém, tem um comportamento bastante estranho. Cinco giram a uma distância de 500 000 milhas; três caminham a 7 000 000 de milhas e quatro deles a 15 000 000 de milhas e ainda em sentido retrógrado, isto é, numa direção oposta à do planeta e a das demais luas.

Temos recebido sinais de rádio de inúmeros pontos do universo mas nunca um dos planetas do nosso sistema solar emitiu qualquer sinal de vida até 1955, quando veio a grande surpresa: nos meses de janeiro, fevereiro e março sinais de rádio vindos de Júpiter foram captados pela antena do Carnegie Institute de Washington. Os centros de emissão foram localizados mas a fonte emissora não foi identificada, permanecendo um insolúvel mistério acerca do agente que enviou estes sinais a Terra.

ALGUNS SAGITARIANOS FAMOSOS

Joãozinho Trinta — 23 de novembro de 1933
Walcyr Carrasco — 1º de dezembro de 1951
Deborah Secco — 26 de novembro de 1979
Guel Arraes — 12 de dezembro de 1953
Angélica — 30 de novembro de 1973
Benjamin Disraeli, Lord Beaconsfield — 21 de dezembro de 1804
Alfred de Musset — 11 de dezembro de 1810
Nostradamus — 14 de dezembro de 1503
Tycho Brahe, famoso astrônomo e astrólogo — 14 de dezembro de 1546
Spinoza — 24 de novembro de 1632
Sibelius, compositor — 8 de dezembro de 1865
Manuel de Falla, compositor — 23 de novembro de 1876
Gustave Flaubert — 12 de dezembro de 1821
Hector Berlioz, compositor — 11 de dezembro de 1803
Mark Twain — 30 de novembro de 1835

Jonathan Swift — 30 de novembro de 1667
George Elliot, pseudônimo de Mary Anne Evans, escritora — 22 de novembro de 1819
George Santayana, filósofo, poeta e novelista — 16 de dezembro de 1863
Ludwig van Beethoven — 17 de dezembro de 1770
John Milton, famoso poeta — 9 de dezembro de 1608
André Gide — 22 de novembro de 1869
Dom Pedro II, Imperador do Brasil — 2 de dezembro de 1825
Alexandre Gustave Eiffel, construtor da Torre Eiffel — 15 de dezembro de 1832
Charles de Gaulle — 22 de novembro de 1890
Joseph Stalin — 21 de dezembro de 1879
Walt Disney — 5 de dezembro de 1901
Érico Veríssimo — 17 de dezembro de 1905